作りおき
サラダ

はじめに

「作りおきサラダ」とは、できたてはもちろん、時間がたってもおいしい、野菜いっぱいの洋風常備菜。冷蔵庫に入れるだけで、時間がたつほどに味がじーんわりしみ込んで、勝手においしくなってくれるのです。ポテサラ、マリネにコールスロー……たっぷりめに作っておけば、何回かに分けて食卓に出せます。

冷蔵庫から出して、保存容器ごとパッパッパッとテーブルに並べるだけで、きょうのごはんはでき上がり！
たっぷりの野菜に肉や魚を加えたおかず感覚のサラダは、ほかほかごはんと汁物さえあれば、十分に充実した献立になります。メインおかずがさびしいときの副菜としても大活躍。

おかず、おべんとう、おつまみにもそのまま使える120品。
たとえば、ひとりの日のごはん。ひとり分を1品ずつ作らなくても、すぐに食べられるものがあるとうれしいですよね。たとえば、夜遅く帰ってきた家族のごはん。白いごはんのアテや、おつまみがすぐに出せて大助かり。あしたの朝のおべんとうだって、詰めるだけなら時間に余裕がもてるはずです。

「作りおきサラダ」なら、どんなに忙しい人でもいつでもホッとする食卓をつくれるのです。
このゆとりと安心感は、ひとりごはんにも家族のごはんにも欠かせません。

3

もくじ

はじめに ……… 2
この本の使い方 ……… 6

Part 1
時間がたってもおいしい！
おかずサラダ

肉・魚で

鶏もも肉のサラダ ……… 8
バンバンジーサラダ ……… 10
焼き肉サラダ ……… 12
野菜たっぷりの肉みそサラダ ……… 14
合いびき肉とパプリカのチャプチェ ……… 15
牛肉と玉ねぎのマリネ ……… 16
押し麦とハムのサラダ ……… 17
豚肉とねぎとチンゲンサイの
中華蒸ししゃぶサラダ ……… 18
えびとマッシュルームの
アヒージョ風オイル漬け ……… 19
ヤムウンセン ……… 20
アボカドと豚しゃぶのサラダ ……… 21
さばときのこのこんがり焼き
さっぱり漬けサラダ ……… 22
えびと野菜のグリルサラダ バルサミコ風味 ……… 24
たことじゃがいものモッツァレラサラダ ……… 26
えびとブロッコリーのサラダ ……… 27
なすとほたての南蛮漬けサラダ ……… 28
鮭の南蛮漬けサラダ ……… 29
ほたてと大根のサラダ ……… 30
オイルサーディンのピリ辛サラダ ……… 31
ひじきとベーコンのいため煮 ……… 32
にんじんのじゃこラー油あえ ……… 32
切り干し大根とツナのカレーいためサラダ ……… 33
もやしと鶏ささ身のごま酢あえサラダ ……… 33

パスタで

マカロニサラダ ……… 34
シーフードのショートパスタサラダ ……… 35
クスクスサラダ ……… 36

かぼちゃ・いもで

かぼちゃとクリームチーズのデリサラダ ……… 38
ポテトサラダ ……… 39
タラモサラダ ……… 40
里いもの和風サラダ ……… 41

野菜だけで

ラタトゥイユ ……… 42
かぶとごぼうのレモンソテーサラダ ……… 44
ピーラーにんじんのサラダ ……… 45
にんじんのナッツきんぴら ……… 46
アスパラ、ブロッコリー、おいもの和風サラダ ……… 47
ブロッコリーのフライパン蒸しサラダ ……… 48
カリフラワーとオリーブのマヨサラダ ……… 49
揚げなすの香味たれがらめ ……… 50
なすのカポナータ ……… 51
ほうれんそうのごまよごし ……… 52
チンゲンサイのオイル蒸し ……… 53
たたきごぼう ……… 54
にぎわいきんぴら ……… 55
ゆでねぎサラダの梅ソースがけ ……… 56
梅甘酢れんこん ……… 57

Column 1
いちばん簡単で安心な
作りおきの基本ルール ……… 58

Part 2
ねかせると
どんどんおいしくなるサラダ

コールスローサラダ ……… 60
にんじんのラペサラダ ……… 61
ドライトマトとなすのマリネ ……… 62
ミニトマトのハニーマリネ ……… 63
きのこのマリネ ……… 64
ナムル5種 ……… 66
　クレソンのナムル／大根のナムル／
　豆もやしのナムル／しめじのナムル／
　ごぼうのナムル
ザワークラウト ……… 68
大根とにんじんのなます ……… 69
野菜の揚げびたし ……… 70
牛ステーキと焼きなすの焼き漬けサラダ ……… 71
焼きアスパラガスのおひたし ……… 72
エリンギと2色ピーマンの焼きびたし ……… 73
ズッキーニとパプリカのミントマリネ ……… 74
パプリカのカレーマリネ ……… 75

じゃがいものゆかりあえ	76
じゃがいものコチュジャンあえ	77
きのことザーサイの中華風オイル漬け	78
えのきとキャベツの簡単キムチ風	79
キャベツとサーモンの重ね漬け	80
きゅうりとくらげの中華酢の物	81
ミニトマトとサーモンの粒マスタードマリネ	82
鮭のサルサソースマリネ	83
いかとれんこんのオリーブマリネ	84
切りこぶと切り干し大根のポン酢サラダ	86
ひじきとビーンズのサラダ	
オニオンごまドレッシング	87
キドニービーンズと玉ねぎのマリネサラダ	88
チリコンカン	89

Column 2
短時間＆ムダなし！
ポリ袋でできる漬け込みワザ ——— 90

Part 3
野菜がたっぷりとれる
常備のピクルス・漬け物

レモン風味ピクルス	92
パリパリ和風ピクルス	93
カリフラワーのカレーピクルス	94
レンジピクルス	95
簡単オイキムチ	96
水キムチ	97
基本の浅漬け	98
かぼちゃのみそ浅漬け	100
大根のゆずはちみつ漬け	101
きゅうりの1本漬け	102
たたききゅうりの酢じょうゆ漬け	103
速攻！アレンジ漬け4	104
かぶの千枚漬け／水菜のわさび漬け／	
もやしのラー油ザーサイ漬け／	
チンゲンサイのめんつゆしょうが漬け	

Column 3
冷やしておいしい
飲むサラダ ——— 106

Part 4
ソース・ドレッシング・ディップ
作りおきでいつでもサラダ

バーニャカウダソース	108
まぜるだけ！自家製ドレッシング	110
フレンチドレッシング／マスタードドレッシング／	
オニオンドレッシング／シーザードレッシング／	
中華ドレッシング	
まぜるだけ！マヨネーズディップ	111
たらこマヨディップ／ごまみそマヨディップ／	
チーズマヨディップ／塩こぶマヨディップ	
／わさびじょうゆマヨディップ	
かけるだけで新鮮魚介サラダ	
ハーブビネガー／カルパッチョソース	112
好きな野菜をあえるだけ	
ごまあえのあえ衣／さやいんげんのごまあえ	114
酢みそあえのあえ衣／わけぎのぬた	115
野菜がおいしいディップ・ペースト	
焼きパプリカのチーズディップ／	
アボカドディップワカモレ風	116
ねぎみそ	118
レバーペースト	118
バジルペースト	119

野菜・果物の甘い作りおき ——— 120

キウイとチーズのはちみつあえ／
いり大豆のみたらし風／ミニトマトのシロップ漬け／
かぼちゃの茶巾しぼり
大学いも／干しあんずの紅茶漬け／オレンジのマリネ／
シナモンバナナ

Column 4
愛用したい
おすすめ保存容器 ——— 124

材料別さくいん ——— 126

この本の使い方

●材料は基本的に4人分で表示しています。料理によっては作りおきに適した分量(作りやすい分量)で表示している場合もあります。

●野菜類は、特に表記のない場合、洗う、皮をむくなどの作業をすませてからの手順を説明しています。

●フライパンは原則としてフッ素樹脂加工のものを使用しています。

●作り方の火かげんは、特に表記のない場合、中火で調理してください。

●小さじ1は5mℓ、大さじ1は15mℓ、1カップは200mℓです。ただし、米は炊飯器の付属カップ180mℓではかります。

●電子レンジの加熱時間は、特に表記のない場合、600Wのものを使用したときの目安です。500Wなら加熱時間を約1.2倍にしてください。なお、機種によって多少異なることもありますので、様子を見ながらかげんしてください。

●だしは、こぶと削り節中心の和風だし(市販品でOK)です。スープは、顆粒または固形スープのもと(コンソメ、ブイヨンの名の市販品)でとった洋風または中華だしです。

●それぞれのレシピには、保存法と保存期間を示したアイコンがついています。この保存期間は目安であり、保存の状態により限度は異なりますのでご注意ください。特に夏場はできるだけ早く食べきったほうが安心です。また、おべんとうに入れる場合は、持ち運びすることで傷みやすいので、なるべく作りたてで入れることをおすすめします。

Part 1
時間がたっても おいしい! おかずサラダ

できたてはもちろんのこと、
冷蔵庫で保存しても味が落ちずにおいしい
作りおきにぴったりのサラダ。たっぷりの野菜に肉や魚、
パスタを加えたボリュームサラダもご紹介します。

- 肉・魚で ➡ p.8~
- パスタで ➡ p.34~
- かぼちゃ・いもで ➡ p.38~
- 野菜だけで ➡ p.42~

冷蔵で
5日

Part 1 時間がたってもおいしい！おかずサラダ

肉・魚で

鶏もも肉のサラダ

材料（4人分）
鶏もも肉 … 2枚
ブロッコリー … 1/2個
じゃがいも … 2個
紫玉ねぎ … 1/8個
サニーレタス … 大3枚
ルッコラ … 20g
A｜塩 … 小さじ1/2
　｜こしょう … 適量
B｜粒マスタード、ウスターソース、
　｜水 … 各大さじ1
　｜マヨネーズ … 大さじ4
　｜しょうゆ … 大さじ1/2
サラダ油 … 大さじ1/2

作り方
1. 鶏肉は筋を切り、Aをもみ込む。Bはまぜ合わせる。
2. じゃがいもは洗ってラップで包み、電子レンジで3分加熱し、上下を返してさらに2分ほど加熱し、皮をむいて1.5cm厚さの半月切りにする。ブロッコリーは小房に分け、塩（分量外）を加えた熱湯でゆでて水けをきる。サニーレタス、ルッコラは食べやすくちぎり、紫玉ねぎは薄切りにする。
3. フライパンにサラダ油を入れて弱めの中火で熱し、鶏肉を皮目を下にして並べる。フライ返しなどで押さえながら3〜4分焼き、皮がパリッとしたら上下を返し、火が通るまで弱火で4〜5分焼く。あら熱がとれたら、大きめの一口大に切る。
4. 器に2を盛り、3をのせてBを回しかける。（重信）

作りおきのコツ
保存するときは、サニーレタス以外をBであえ、保存容器に入れて冷蔵庫へ。レタスは食べるときに添える。野菜の変色を避けたい場合は、Bであえずに食べる直前にかけて。

バンバンジーサラダ

材料（4人分）
鶏胸肉 … 大1枚
もやし … 2袋
オクラ … 10本
A ｜ しょうがの皮、塩 … 各少々
　｜ ねぎの青い部分 … 1本分
B ｜ にんにくのみじん切り … 1かけ分
　｜ しょうがのみじん切り … 2かけ分
　｜ ねぎのみじん切り … 5cm分
　｜ ねり白ごま … 100g
　｜ 塩 … 小さじ½
　｜ 酢 … 大さじ1
　｜ 豆板醤 … 小さじ1
　｜ しょうゆ … 少々

作り方
1 なべに鶏肉、Aを入れ、かぶるくらいの水を注いで熱し、煮立ったら弱火にしてふたを少しずらし、10分ゆでて鶏肉の上下を返し、さらに5分ゆで、そのまま冷ます。皮は細切りにし、肉は食べやすく手で裂く（ゆで汁はとっておく）。
2 もやしはひげ根をとり、オクラはがくを薄くむく。1のゆで汁をこしてなべに入れ、煮立ったらオクラを加えてゆで、ざるにとり出す。続いてもやしを入れ、さっとゆでてざるに上げる。
3 ボウルに1、2を入れ、まぜ合わせたBを加えてあえる。
（夏梅）

作りおきのコツ
香味野菜たっぷりの濃厚なたれとゆで鶏がなじんで、時間がたってもしっとりといっそうおいしく食べられる。

食べるときは、トマトの薄切りやきゅうりのせん切りを添えても。

Part 1 　時間がたってもおいしい！
おかずサラダ

肉・魚で

冷蔵で
3〜4日

冷蔵で
4日

Part 1 時間がたってもおいしい！おかずサラダ

肉・魚で

焼き肉サラダ

材料（4人分）
牛肉（焼き肉用）… 300g
ねぎ … 1本
しいたけ、しめじ、えのきだけ、まいたけ
… 各100g
赤ピーマン … 2個
A にんにくのすりおろし … 1かけ分
   しょうがのすりおろし … 大さじ2
   りんごのすりおろし … ¼個分
   しょうゆ … 大さじ3
   塩、一味とうがらし … 各少々
B 酢 … 大さじ4
   塩 … 小さじ½
   鶏ガラスープのもと … 大さじ½
   ごま油 … 大さじ2
   湯 … ½カップ
サラダ油 … 大さじ4
一味とうがらし … 適量

作り方
1 牛肉は1cm幅に切り、まぜ合わせたAをまぶして下味をつける。Bはまぜ合わせる。
2 ねぎは3cm長さに切る。しいたけは石づきを除いて軸のほうから切り込みを入れ、半分に裂く。しめじは石づきを除いて小房に分け、えのきは根元を切り落として長さを半分に切り、ほぐす。まいたけはほぐす。赤ピーマンは縦半分に切り、種とへたを除いて細切りにする。
3 フライパンにサラダ油大さじ2を強火で熱し、1をつけ汁ごと入れていため、いったんとり出す。残りのサラダ油を加え、2を入れてしんなりとするまでいためる。牛肉を戻し入れ、Bを加えていため合わせ、好みで一味とうがらしを振る。（夏梅）

作りおきのコツ
保存する場合は、牛肉に火をしっかり通す。作ってすぐに食べるなら、好みでさっと火を通す程度でも。濃いめの味つけなので、おべんとうにもおすすめ。

食べるときは、サニーレタスや青じそなど生野菜を添えると◎。きゅうりのせん切りやサンチュなども好相性。

冷蔵で
4〜5日

野菜たっぷりの肉みそサラダ

材料（4人分）
豚ひき肉 … 400g
にんじん … 100g
しいたけ … 4個
なす … 2個
しょうがのみじん切り … 1かけ分
サラダ菜 … 1個
A │ 水 … 1カップ
　│ みりん … 大さじ2
　│ しょうゆ … 小さじ2
　│ 砂糖 … 大さじ3強
　│ 酒 … 大さじ2
　│ みそ … 大さじ4弱
　│ しょうがのみじん切り
　│ 　… 小2かけ分
サラダ油 … 大さじ2

作り方
1 にんじん、しいたけ、なすは5〜6mm角に切る。
2 フライパンにサラダ油を熱してしょうがをいため、香りが立ったら1を加えていため合わせる。
3 しんなりとしたらひき肉を加えていため、肉の色が変わったらAを順に加え、弱めの中火で2〜3分いためる。サラダ菜を敷いた器にのせる。（武蔵）

作りおきのコツ
保存は、肉みそだけを保存容器に入れて冷蔵し、サラダ菜は食べるときに添えて。肉みそは汁けをしっかりとばすと日もちがよい。

Part 1 時間がたってもおいしい！おかずサラダ 肉・魚で

合いびき肉と
パプリカのチャプチェ

材料（4人分）
合いびき肉 … 300g
はるさめ … 100g
パプリカ（赤） … 2個
万能ねぎ … 1束（100g）
A ┃ しょうゆ … 大さじ3
　┃ 酒、砂糖、ごま油
　┃ 　… 各大さじ1
　┃ にんにくのみじん切り
　┃ 　… 2かけ分
　┃ こしょう … 少々
ごま油 … 大さじ2

作り方
1 パプリカは四つ割りにして種とわたを除き、横に薄切りにする。万能ねぎは4cm長さに切る。はるさめは2〜3分ゆでて冷水にとり、水けをしぼって食べやすく切る。
2 ボウルにひき肉、Aを入れ、菜箸でまぜる。
3 フライパンにごま油を熱してパプリカをいため、しんなりとしたら万能ねぎを加えてさっとまぜ、別のボウルに入れる。
4 フライパンに2を汁ごと入れ、肉の色が変わるまでいため、はるさめを加えてさらにいためる。味がなじんだら3に加えてまぜ、味をみて塩少々（分量外）でととのえる。　　　　　　　　　　（今泉）

作りおきのコツ
冷蔵庫でしばらく保存してはるさめがかたくなったら、食べる直前に電子レンジで軽くあたためる。

冷蔵で3日

冷蔵で
1週間

牛肉と玉ねぎのマリネ

材料（4人分）
牛切り落とし肉 … 300g
玉ねぎ … 1個
塩、こしょう … 各少々
A │ 酢、しょうゆ
　│ … 各大さじ3
　│ にんにくのすりおろし、
　│ 塩、こしょう … 各少々
オリーブ油 … 小さじ2

作り方
1 玉ねぎは薄切りにして塩（分量外）を振り、軽くもんで水けが出てきたらしっかりしぼる。Aはまぜ合わせる。
2 牛肉は食べやすく切り、塩、こしょうを振る。フライパンにオリーブ油を熱し、牛肉を入れていためる。熱いうちにAにつけ、玉ねぎを加えてあえる。　　　　　　　（牛尾）

Point
牛肉をいためて火を通したら、熱いうちにつけ汁に入れてなじませる。こうすると味がよくしみ込む。

作りおきのコツ
時間の経過とともに水分の出やすい玉ねぎは、塩でもんで水分をしっかりしぼっておくと、保存しても水っぽくならない。

器に盛るときは、パセリを振ったり、サラダ菜などをあしらっても。

Part 1 　時間がたってもおいしい！おかずサラダ

肉・魚で

押し麦とハムのサラダ

材料（4人分）
押し麦 … 1カップ
ハム … 6枚
ミニトマト … 10個
きゅうり … 1本
紫玉ねぎ … ½個
粒コーン缶 … 大さじ4
A ┃ マスタード … 小さじ2
　 ┃ 白ワインビネガー、
　 ┃ オリーブ油 … 各大さじ4
　 ┃ 塩 … 小さじ1
　 ┃ こしょう … 少々

作り方
1 押し麦はたっぷりの熱湯に入れて10分ほどゆで、ざるに上げる。
2 ミニトマトはへたをとって縦4等分に切る。きゅうり、紫玉ねぎ、ハムは5mm角に切る。
3 ボウルに1、2、缶汁をきったコーンを入れ、Aを加えてあえる。
4 食べる直前に、好みでサラダ菜適量を敷いた器に盛る。
（牛尾）

Memo
押し麦
大麦の外皮をむいて蒸し、乾燥させたもの。平らにしてあるので、火が通りやすく消化がよい。食物繊維やミネラルが豊富。

作りおきのコツ
保存するときは、水分が出やすい葉野菜は除いて保存容器に入れる。冷蔵中はときどきまぜるとおいしくなる。

冷蔵で **3日**

冷蔵で
3日

豚肉とねぎとチンゲンサイの中華蒸ししゃぶサラダ

材料（4人分）
豚ロース薄切り肉 … 200g
ねぎ … 3本
チンゲンサイ … 大2株
塩、こしょう … 各少々
A | 酒 … 大さじ1
　 | サラダ油 … 大さじ½
B | しょうゆ … 大さじ2
　 | 酢 … 大さじ1⅓
　 | ごま油 … 小さじ2
　 | 豆板醤 … 小さじ½
　 | にんにくのみじん切り、いり白ごま、こしょう … 各少々

作り方
1 ねぎは3〜4cm長さに切る。チンゲンサイは1枚ずつはがして軸と葉に切り分ける。豚肉は塩、こしょうを振る。A、Bはそれぞれまぜ合わせる。
2 フライパンにねぎ、チンゲンサイの軸、豚肉を入れ、Aを回しかけ、ふたをして熱する。湯気が出始めたら弱火にして5分ほど蒸し、チンゲンサイの葉を加えてさらに3分蒸す。
3 器に盛り（または保存容器に入れ）、Bをかける。（岩崎）

Point
材料をフライパンに並べたら、酒とサラダ油をかけ、あとはふたをして待つだけ。火の通りやすいチンゲンサイの葉はあとで加える。

作りおきのコツ
たれを全体にからめて保存容器に入れ、完全に冷めてから冷蔵する。

Part 1 時間がたってもおいしい！おかずサラダ

肉・魚で

えびとマッシュルームの
アヒージョ風オイル漬け

材料（4人分）
むきえび … 200g
マッシュルーム … 200g
ズッキーニ … 2本
塩 … 少々
A｜アンチョビー（フィレ）
　　… 10g
　　にんにく（つぶす）… 2かけ
　　赤とうがらし … 2本
　　オリーブ油 … 2/3カップ
　　ローリエ … 2枚

作り方
1. えびは背わたがあれば竹ぐしで除き、洗ってキッチンペーパーで水けをふく。マッシュルームは洗って塩を振る。ズッキーニは縦4等分に切ってから3cm長さに切り、さっと洗って水けをふく。
2. フライパンにAと1を入れ、えびの色が変わってマッシュルームが小さくなるまで弱めの中火で20分ほどじっくりとオイル煮にする。（夏梅）

バゲットなどをひたしながら食べると絶品。

作りおきのコツ
オイル煮なので、できれば保存容器はほうろうか金属製がおすすめ。冷蔵庫から出してそのまま食べても、あたため直してもおいしい。

冷蔵で **4日**

冷蔵で
4日

ヤムウンセン

材料（4人分）
大正えび(小) … 200g
はるさめ … 80g
紫玉ねぎ … 1個
赤とうがらしの小口切り … 少々
酢 … 少々
A｜にんにくの
　｜　あらいみじん切り … 3かけ分
　｜サラダ油 … 大さじ4
B｜レモン汁 … 2個分
　｜ナンプラー … 大さじ4
香菜 … 1株

作り方
1　はるさめは袋の表示どおりにもどし、ざるに上げて食べやすい長さに切る。
2　えびは背わたがあれば竹ぐしで除き、酢を加えた熱湯でゆでてそのまま冷まし、殻があればむいて厚みを半分に切る。
3　紫玉ねぎは縦に薄切りにし、まぜ合わせたBに加えてしんなりとさせる。
4　フライパンにAを入れて弱火で熱し、にんにくが薄いきつね色になるまでいため、火を止めて赤とうがらしを加える。1、2、3を加えてあえ、小口切りにした香菜を散らす。　（夏梅）

香菜はまぜ合わせて盛りつけても。

作りおきのコツ
はるさめを加えてあるので、玉ねぎなどから水分が出てもそれほど水っぽくはならない。冷蔵中はときどき全体を大きくまぜるとよい。

Part 1 時間がたってもおいしい！おかずサラダ　肉・魚で

アボカドと豚しゃぶのサラダ

材料（4人分）
- 豚肉（しゃぶしゃぶ用）… 200g
- アボカド、玉ねぎ … 各1個
- クレソン … 50g
- レモン汁 … 1個分
- 塩 … 少々
- A
  - 塩 … 小さじ½
  - 酢、しょうゆ … 各大さじ1
  - こしょう … 少々
  - オリーブ油 … 大さじ3

作り方
1. アボカドは種を除き、皮をむいて1cm幅に切り、レモン汁を振る。
2. クレソンはさっとゆでて水にとり、同じゆで湯で豚肉を1枚ずつ広げながらゆでてざるに上げる。クレソンは食べやすく切り、水けをきる。
3. 玉ねぎは縦に薄切りにし、塩を振って10分おき、もんでから手早く洗って水けをしぼる。
4. ボウルに1、2、3を入れ、まぜ合わせたAを加えてあえる。（夏梅）

レモン汁たっぷりでアボカドの色みをキープ。

作りおきのコツ
冷蔵保存すると豚肉の脂肪が白く固まりやすいので、気になる場合は脂肪の少ない部位を選ぶとよい。アボカドはレモン汁を多めに振って変色を抑えて。

冷蔵で 2〜3日

冷蔵で
3日

Part 1 時間がたってもおいしい！おかずサラダ

肉・魚で

さばときのこのこんがり焼き
さっぱり漬けサラダ

材料（4人分）
さば … 1切れ
エリンギ … 2本
しめじ、かぼちゃ … 各200g
酒、塩、こしょう … 各適量
A｜酢、しょうゆ、水 … 各大さじ4
　｜砂糖 … 大さじ1
　｜しょうがのみじん切り … 少々
小麦粉 … 大さじ1

作り方
1 エリンギは食べやすく切り、しめじは小房に分け、酒を振って軽くまぜる。かぼちゃは食べやすく切る。さばは一口大に切り、塩、こしょうを振って小麦粉をまぶす。Aはまぜ合わせる。
2 フライパンを熱してかぼちゃを並べ、両面をこんがりと焼き、Aに加える。続いてフライパンにエリンギ、しめじを並べて焼き色をつけながら焼き、同様にAに加える。さばの両面を焼いて火を通し、Aに加える。
3 全体をまぜ、器に汁ごと盛る。　　　　（浜内）

Point

きのこは焼くと水分がとんで縮みやすいので、あらかじめ酒を振っておくと、縮みを防いでジューシーに仕上がる。

さばは表面をカリッと焼いて火を通してから漬け汁に入れると、野菜やきのこのうまみがからんで、おいしさも日もちもアップ。

作りおきのコツ

こんがりと焼いて野菜の水分をとばす。フッ素樹脂加工のフライパンで油を引かずに焼くことで、ホクホク＆さっぱりヘルシーに。

冷蔵で
3日

Part 1 時間がたってもおいしい！おかずサラダ　肉・魚で

えびと野菜のグリルサラダ バルサミコ風味

材料（4人分）
- えび（ブラックタイガーなど）… 12尾
- ズッキーニ … 1本
- なす … 2個
- かぼちゃ … 200g
- パプリカ(赤) … 1個
- A ｜ オリーブ油 … 大さじ4
  　｜ 粉チーズ … 大さじ1⅓
- B ｜ バルサミコ酢、オリーブ油 … 各大さじ4
  　｜ 塩 … 小さじ⅔
  　｜ こしょう … 少々

作り方
1. えびは尾を残して殻をむき、背に切り目を入れて背わたを除く。ズッキーニは長さを半分に切り、縦に4～5mm厚さに切る。なすはへたを除き、縦に4～5mm厚さに切る。かぼちゃは種とわたをとり、4～5mm厚さのくし形に切る。パプリカはへたとわたを除き、縦に2cm幅に切る。
2. ボウルにBを入れてまぜる。
3. 1にAを振ってからめ、200度に熱したオーブン（またはオーブントースター）の天板に並べて10分ほど焼く。
4. 熱いうちに2に入れてからめる。　　（牛尾）

※魚焼きグリル（または油を薄く引いたフライパン）でこんがりと焼いてもよい。

Point
- 同じ加熱時間で火が通るように、野菜は大きさや厚みをそろえて切ること。 
- 野菜にオリーブ油と粉チーズをまんべんなくまぶすと、つやよく香ばしく仕上がる。 
- なすやズッキーニは皮目を下にして並べ、切り口をこんがりと焼いて火を通す。 

Memo
バルサミコ酢
ぶどうから作られるイタリアの酢。おだやかな酸味、独特の香りと甘みがあり、サラダやソテーなどのコクを増す。

作りおきのコツ
焼きたての熱々をすぐに食べるのもおいしいが、あら熱がとれたところで冷蔵庫でじっくり冷やすと、ぐっと味がしみて美味。野菜が生っぽいと、時間とともに水分が出やすいので、しっかり焼くことが大切。

たことじゃがいもの
モッツァレラサラダ

材料（4人分）
ゆでだこ … 200g
モッツァレラチーズ … 200g
じゃがいも … 2個
バジルの葉 … 20枚
オリーブ油
（あればガーリック風味の油）
… 大さじ2
塩 … 小さじ1
粒黒こしょう
（あればピンクペッパー）
… 小さじ1

作り方
1 たこは1.5cm角に切り、モッツァレラチーズは水けをきって1.5cm角に切る。バジルは食べやすく手でちぎる。
2 じゃがいもは1.5cm角に切り、なべに入れてたっぷりの水を加え、やわらかくなるまでゆでる。ざるに上げ、水けをきって冷ます。
3 ボウルに1、2を入れ、オリーブ油、塩を振ってあえる。器に盛り、粒こしょうをあらくひいて散らす。（牛尾）

作りおきのコツ
オリーブ油とバジルの香りで味わうシンプルサラダ。保存するときは、バジルは少なめにして容器に入れ、食べるときに再度フレッシュな葉を散らすと、風味豊かに。

冷蔵で 2〜3日

Part 1 時間がたってもおいしい！おかずサラダ

肉・魚で

えびと
ブロッコリーのサラダ

材料（4人分）
むきえび … 200g
ゆで卵（七分ゆで）… 3個
ブロッコリー … 2個
玉ねぎ … 1/2個
塩 … 適量
酢、あらびき黒こしょう
　… 各少々
A｜マヨネーズ、
　｜プレーンヨーグルト
　｜　… 各1/2カップ
　｜酢 … 大さじ2
　｜塩 … 小さじ1/2

作り方
1. えびは背わたがあれば竹ぐしで除き、さっと洗う。酢を加えた熱湯に入れ、煮立ったら火を止め、そのまま冷ましてざるに上げる。
2. ブロッコリーは小房に分け、塩少々を加えた熱湯でゆで、ざるに上げる。ゆで卵は殻をむいてざく切りにする。玉ねぎは薄切りにし、塩少々を振ってしんなりとしたらもみ、手早く洗って水けをしぼる。
3. ボウルにAを入れてまぜ、1、2を加えてあえ、こしょうを振る。（夏梅）

スパイシーな黒こしょうが食欲をそそる。

作りおきのコツ
玉ねぎは時間とともに水分が出るので、塩でしっかりともんで水分を出し、よくしぼることがポイント。

冷蔵で 2〜3日

冷蔵で3日

なすとほたての南蛮漬けサラダ

材料（4人分）
- なす … 6個
- ほたて貝柱 … 12個
- 赤とうがらし … 2本
- 酒 … 小さじ2
- 酢 … 大さじ6
- A
  - だし … 大さじ6
  - しょうゆ … 大さじ2
  - みりん … 大さじ4
  - 塩 … 小さじ1/2
- 小麦粉 … 適量
- 揚げ油 … 適量
- みょうが … 4個
- わけぎ … 4本
- 青じそ … 10枚

作り方
1. なすはへたを切り落として縦半分に切り、皮に格子状の切り目を入れ、長さを2〜3等分に切る。ほたては酒を振る。
2. なべに赤とうがらしを半分に切って入れ、Aを加えてひと煮する。火から下ろし、冷めたら酢を加えてまぜる。
3. フライパンに揚げ油を深さ2cmほど入れて180度に熱し、なすを入れて2〜3分揚げ、キッチンペーパーではさんで油を吸わせる。
4. ほたては水けをふいて小麦粉を薄くまぶし、3の揚げ油に入れて揚げる。2にほたてとなすを加え、10分以上おいて味をなじませる。
5. みょうがとわけぎは薄い小口切りにし、青じそはせん切りにしてまぜ合わせ、器に盛った4に散らす。

（藤井）

作りおきのコツ
保存するときは、みょうがや青じそ、わけぎなどもいっしょにまぜ込んで冷蔵すると、香味がきいておいしくなる。

Part 1 時間がたってもおいしい！おかずサラダ
肉・魚で

鮭の南蛮漬けサラダ

材料（4人分）
生鮭 … 4切れ
玉ねぎ … ¼個
にんじん … 20g
ピーマン … 1個
塩、こしょう … 各少々
小麦粉、揚げ油
　… 各適量
A｜だし、しょうゆ
　　　… 各大さじ3
　｜酢 … 大さじ7
　｜砂糖 … 大さじ1½
　｜赤とうがらし … 1本

作り方
1. 鮭は2〜3等分に切り、塩、こしょうを振って下味をつける。
2. 玉ねぎは薄切り、にんじん、ピーマンは細切りにする。保存容器にAをまぜ合わせる。
3. 1に小麦粉をまぶし、170度に熱した揚げ油でカラッと揚げる。油をきって熱いうちにAに加え、2を加えてしばらくおいて冷ます。
4. 野菜がしんなりとしたら、上下を返してさっとまぜる。（牛尾）

Point
揚げたてを漬け込むと味がよくしみる。あらかじめ漬け汁を用意し、揚がった順に漬けるとよい。

作りおきのコツ
味が均等になじむように、野菜は大きさをそろえて切る。冷蔵中にときどき全体をまぜると味がムラなくしみる。

冷蔵で1週間

冷蔵で
4日

ほたてと大根のサラダ

材料（4人分）
ほたて貝柱の水煮缶 … 40g
大根 … 9cm
大根の葉 … 20g
塩 … 大さじ1
A｜ほたて貝柱の缶汁 … 大さじ2
　｜酢 … 大さじ3
　｜しょうゆ、ごま油
　｜　… 各大さじ1
　｜塩 … 小さじ1/3
　｜こしょう … 少々
焼きのり（全形）… 1/2枚

作り方
1 大根は皮をむいて3cm長さのせん切り、葉はみじん切りにする。塩を加えた2.5カップの水に10分ひたし、よくもんで水けをかたくしぼる。
2 ほたての身をこまかくほぐしてボウルに入れ、1を加えてよくまぜ、のりを手で一口大にちぎって加える。
3 器に盛り、まぜ合わせたAをかける。

（夏梅）

作りおきのコツ
Aであえてから保存容器に入れ、冷蔵する。のりは食べる直前にまぜるとよい。大根から水けが出やすいので、食べるときに軽く汁けをきり、好みでマヨネーズなどであえても。

Part 1 時間がたってもおいしい！おかずサラダ

肉・魚で

オイルサーディンの ピリ辛サラダ

材料（4人分）
オイルサーディン缶 … 2缶
きゅうり … 2本
トマト … 2個
A ┃ しょうゆ … 大さじ1
　┃ 砂糖 … 小さじ1
　┃ 酢 … 大さじ2
　┃ コチュジャン … 適量
ねぎのせん切り … 適量

作り方
1 きゅうりは薄い小口切り、トマトは1cm角に切る。Aはまぜ合わせる（辛さはコチュジャンの量でかげんして）。
2 ボウルにきゅうりとトマト、オイルサーディンを入れ、Aであえて器に盛り、ねぎをのせる。　　（池上）

作りおきのコツ
作りおきするなら香味野菜をきかせるのがおすすめ。ねぎは多めに加えるとおいしい。サーディンの油はうまみが濃いので、缶汁をきりすぎずに加えるとよい。

冷蔵で3日

冷蔵で
3日

ひじきと
ベーコンのいため煮

材料（4人分）
ベーコン … 4枚
ひじき（乾燥）… 50g
パプリカ（赤）… ½個
ピーマン … 2個
A｜水 … 1カップ
　｜しょうゆ、みりん … 各大さじ2
サラダ油 … 小さじ2

作り方
1 ひじきはよく洗い、水に5分ほどひたしてもどし、水けをしっかりしぼる。ベーコンは1cm幅に切る。
2 パプリカ、ピーマンはへたと種を除いて1cm角に切る。
3 フライパンにサラダ油を熱してベーコンをいため、ひじきを加えてさっとまぜ合わせ、Aを加えてひと煮立ちさせる。
4 落としぶたをして弱火で5分ほど煮て、2を加えて1分ほどいため煮にする。　　　　（牛尾）

にんじんの
じゃこラー油あえ

材料（4人分）
にんじん … 1本
ちりめんじゃこ … 25g
ねぎ … 10cm
A｜ごま油 … 小さじ2
　｜ラー油 … 小さじ⅓〜½
　｜塩 … 小さじ⅓
　｜あらびき黒こしょう … 少々

作り方
1 にんじんは7mm角で4cm長さの棒状に切る。ねぎはあらみじんに切る。
2 ボウルにA、じゃこ、ねぎを入れてよくまぜ合わせる。
3 なべに湯を沸かして塩（分量外）を加え、にんじんを入れて1分ほどゆでる。ざるに上げて水けをしっかりきり、熱いうちに2に加えてあえる。（植松）

冷蔵で
2〜3日

Part 1 時間がたってもおいしい！
おかずサラダ

肉・魚で

冷蔵で1週間

切り干し大根とツナの カレーいためサラダ

材料（4人分）
ツナ缶（スープ煮）＊ … 小2缶
切り干し大根 … 60g
万能ねぎ … 10本
カレー粉 … 小さじ2
A｜トマトケチャップ … 小さじ1
　｜しょうゆ … 小さじ2
　｜塩、こしょう … 各少々
サラダ油 … 小さじ4
＊ツナ缶はオイル漬けの場合は缶汁をきって使う。

作り方
1 切り干し大根はさっと洗い、水に5分ほどひたしてもどし、水けをしっかりしぼる。万能ねぎは3cm長さに切る。
2 フライパンにサラダ油を熱し、1、ツナを缶汁ごと入れていためる。カレー粉を加えていため、全体がなじんだらAで調味する。　　　（牛尾）

もやしと鶏ささ身の ごま酢あえサラダ

冷蔵で2～3日

材料（4人分）
鶏ささ身 … 6本
もやし … 400g
絹さや … 24枚
A｜塩 … 小さじ2/3
　｜酒 … 大さじ2
B｜すり黒ごま … 大さじ8
　｜酢 … 大さじ6
　｜砂糖 … 大さじ3
　｜塩 … 小さじ2/3
　｜こぶ茶 … 少々
塩、ごま油 … 各少々

作り方
1 ささ身はフォークで全体を刺し、耐熱皿に入れてAをもみ込み、5分おいてなじませる。ラップをかけて電子レンジで火が通るまで5分ほど加熱し、そのままあら熱をとる。
2 ボウルにBを入れてよくまぜ合わせる。
3 絹さやは筋をとり、塩とごま油を加えた熱湯でもやしとともに20～30秒ゆで、ざるに上げてしっかり水けをきる。
4 1を一口大に裂き、蒸し汁とともに2に加え、3を加えてあえる。　　　（枝元）

マカロニサラダ

材料（4人分）
マカロニ … 250g
ハム … 5枚
ゆで卵 … 3個
にんじん … 1/2本
きゅうり … 1本
塩 … 適量
A ┃ マヨネーズ … 200g
　┃ 牛乳 … 1/2カップ
　┃ 砂糖 … 大さじ1
　┃ 塩、こしょう … 各少々

作り方
1 マカロニは塩少々を加えた熱湯でゆで、袋の表示時間の1分前に薄いいちょう切りにしたにんじんを加え、ともにざるに上げる。
2 きゅうりは皮をむいて薄い小口切りにし、塩少々を振ってしんなりとしたらもみ、手早く洗って水けをしぼる。ハムは1cm角に切り、ゆで卵は殻をむいてざく切りにする。
3 ボウルに1、2を入れ、Aを加えてあえる。　　　　　　　　　（夏梅）

これさえあれば副菜作りの手間なしでOK。

作りおきのコツ
マカロニは袋の表示時間よりも少し短く、かためにゆでる。冷蔵中に表面が乾いたら、牛乳少々を加えて。

冷蔵で3日

Part 1 時間がたってもおいしい！おかずサラダ

パスタで

シーフードのショートパスタサラダ

材料（4人分）
ショートパスタ
（フジッリ）… 250g
シーフードミックス（冷凍）
… 300g
ミニトマト … 200g
レモンの薄切り … 4枚
塩 … 少々
A ┃ アンチョビー（フィレ）… 10g
　┃ にんにく … 1かけ
　┃ ローリエ … 1枚
　┃ オリーブ油 … 大さじ5
B ┃ 玉ねぎのすりおろし
　┃ 　… 1/4個分
　┃ 酢 … 大さじ4
　┃ 塩 … 小さじ2/3
　┃ こしょう … 少々

作り方
1 ショートパスタは塩を加えた熱湯でゆで、袋の表示時間の1分前にシーフードミックスを凍ったまま加え、ひとまぜして煮立ったらざるに上げる。
2 ミニトマトはへたをとり、半分に切る。
3 Aのアンチョビーは包丁でざっとたたき、にんにくは半分に切って芽を除き、つぶす。フライパンに残りのAとともに入れて弱火で熱し、にんにくが薄いきつね色になるまでいためる。
4 ボウルに小さく切ったレモン、B、3を入れ、1、2を加えてあえる。
(夏梅)

副菜はもちろん、冷製パスタランチにしても。

作りおきのコツ
冷蔵保存すると容器の底にソースがたまるので、ときどき上下を返すように全体をざっくりまぜると、最後までおいしく味わえる。

冷蔵で **3日**

冷蔵で
3日

Part 1 時間がたってもおいしい！おかずサラダ

パスタで

クスクスサラダ

材料（4人分）
クスクス … 1カップ
ピーマン … 2個
ミニトマト（黄）… 20個
クレソン … 20g
トレビス … 4枚
オリーブ（緑、黒）… 各10個
A │ トマトピューレ … 大さじ8
　│ レモン汁 … 大さじ2
　│ にんにくのすりおろし … 小さじ1
　│ 塩 … 小さじ1
　│ こしょう … 少々
　│ オリーブ油 … 大さじ4

作り方
1 ボウルにクスクスを入れ、熱湯1カップを注いでざっとまぜ、アルミホイルをかぶせて10分ほどおき、やわらかくもどす。
2 ピーマンは種とへたを除き、あらみじんに切る。ミニトマトはへたを除き、縦4等分に切る。クレソンとトレビスは食べやすくちぎる。オリーブは半分に切り、種があれば除く。
3 ボウルに1と2を入れ、まぜ合わせたAを加えてあえる。　　　　　　　　　　　　　　　（牛尾）
※葉野菜は好みのものでよい。味にアクセントがほしいときは、ドレッシングにタバスコなどを加えても。

Point
クスクスは熱湯を加えるだけで簡単に食べられる。クスクスをふやかし、すべての材料をまぜるだけ。

Memo
クスクス
デュラムセモリナ小麦から作られる小さな粒状のパスタ。北アフリカ料理の素材として、輸入食材店や大型スーパーなどで手軽に入手できるようになった。

トレビス
原産地はイタリアで、レタスの一種。食感はレタスよりもかたく、さわやかなほろ苦さが特徴。加熱すると色が落ちるのでサラダなど生食に向く。

作りおきのコツ
クスクスは、水分の多い野菜のサラダに入れると水分を吸収してくれて、全体が水っぽくならないのでおすすめ。冷蔵すると固まりやすいので、ときどきまぜてほぐすとよい。

かぼちゃと
クリームチーズのデリサラダ

材料（4人分）
かぼちゃ … 1/2個（850g）
クリームチーズ … 100g
ベーコン … 2枚
れんこんの薄切り（皮ごと）
　… 1節分
玉ねぎの薄切り … 1/2個分
A｜牛乳 … 1/2〜2/3カップ
　｜塩 … 小さじ1/3
　｜こしょう … 少々
小麦粉、揚げ油 … 各適量

作り方
1. かぼちゃは種とわたを除いて4等分に切り、それぞれラップに包んで電子レンジで8分加熱し、上下を返して2分加熱し、フォークであらくつぶす。
2. あたたかいうちにクリームチーズを加えてまぜ、かたさを牛乳で調節しながらAを加えてまぜる。
3. れんこんと玉ねぎは小麦粉を薄くまぶし、160度に熱した揚げ油でカリッと揚げる。ベーコンは180度の揚げ油で20秒ほど揚げ、1cm幅に切る。食べる直前に、器に盛った2にのせる。　　　　　　（夏梅）

フライド野菜＆ベーコンで見た目も味もUP。

作りおきのコツ
かぼちゃサラダとトッピングの具材は分けて冷蔵保存する。トッピングはオーブントースターなどでカリッと焼き直しても。

冷蔵で **4日**

Part 1 | 時間がたってもおいしい！おかずサラダ

かぼちゃ・いもで

ポテトサラダ

材料（4人分）
じゃがいも
　… 大4〜5個
ハム … 5枚
ゆで卵（七分ゆで）… 3個
玉ねぎのみじん切り
　… 1/4個分
きゅうりの薄切り … 1本分
マヨネーズ
　… 2/3カップ（150g）
塩 … 少々
A｜塩 … 小さじ1/2
　｜こしょう … 少々
　｜酢 … 大さじ2
　｜サラダ油 … 大さじ1

作り方

1. じゃがいもは4等分に切ってさっと洗い、かぶるくらいの水とともになべに入れて火にかける。煮立ったら弱火にしてふたをし、15分ほどゆでる。竹ぐしがスッと通ったら湯を捨て、なべを揺すって粉ふきにする。熱いうちにあらくつぶし、マヨネーズを加えてまぜる。

2. 玉ねぎ、きゅうりは塩を振ってしんなりとさせる。手早く洗い、玉ねぎはキッチンペーパーに包んで水けをしぼり、きゅうりは手でしっかり水けをしぼる。ハムは1cm角にちぎる。ゆで卵は殻をむいてざく切りにし、1個分は飾り用に残しておく。

3. 1と2を合わせてAであえ、飾り用のゆで卵を散らし、あればパセリのみじん切りを振る。

（夏梅）

パセリのみじん切りは
全体とまぜ合わせても。

作りおきのコツ

じゃがいもは粉ふきにして水けをしっかりとばし、熱いうちにマヨネーズで味をつけておく。保存容器に入れ、完全に冷ましてから冷蔵する。

冷蔵で **3日**

冷蔵で
1週間

タラモサラダ

材料（4人分）
じゃがいも
…大1個（200g）
からし明太子 … 1腹
マヨネーズ … 大さじ2

作り方
1 じゃがいもは一口大に切って耐熱皿に並べ、ラップをかけて電子レンジで4分加熱し、熱いうちにボウルに入れてあらくつぶす。
2 薄皮を除いた明太子、マヨネーズを加えてあえる。　　　（牛尾）

作りおきのコツ
じゃがいものホクホク感とピリッと辛い味わいをキープするために、水けはできるだけ避けたい。湯げなども冷めると水っぽさの原因になるので、保存容器に詰めるのは完全に冷めてからにする。

Part 1 時間がたってもおいしい！おかずサラダ

かぼちゃ・いもで

里いもの和風サラダ

材料（4人分）
里いも … 大12個
ちりめんじゃこ … 30g
万能ねぎの小口切り … 4本分
もみのり … ½枚分
A | しょうゆ … 大さじ3
　 | みりん … 大さじ2

作り方
1 里いもは皮ごとよく洗い、ぬれたまま耐熱皿に並べてふんわりとラップをかけ、電子レンジで4分ほど加熱する。上下を返し、やわらかくなるまでさらに3〜4分加熱し、ラップをはずして表面を乾かす。
2 里いもは皮に包丁の刃元を当てて引くようにしてむき、ボウルに入れてあたたかいうちにめん棒などでざっとつぶす。じゃこ、万能ねぎ、のり、Aを加えてよくまぜ合わせる。（夏梅）

作りおきのコツ
里いものもっちりした食感を残したいので、あらめにざっくりとつぶして冷蔵する。時間とともにじゃこがいもになじんで、できたてとはまた違った味わいを楽しめる。

冷蔵で 4日

冷蔵で
1週間

> Part 1 時間がたってもおいしい！おかずサラダ
>
> 野菜だけで

ラタトゥイユ

材料（4人分）
- トマト … 1個
- パプリカ（黄）… ½個
- ねぎ … ½本
- しいたけ … 4個
- なす … 1個
- にんにくのみじん切り … 1かけ分
- ローリエ … 1枚
- A｜塩 … 小さじ½
　　｜しょうゆ、こしょう … 各少々
- オリーブ油 … 大さじ1

作り方
1. トマトは横半分に切り、種を除いてざく切りにする。
2. パプリカとなすは1.5㎝角に切り、ねぎは1.5㎝幅の小口切りに、しいたけは石づきを除いて縦4等分に切る。
3. なべにオリーブ油とにんにくを入れて熱し、香りが立ったら2を加えていためる。しんなりとしてきたらトマトとローリエを加えてふたをし、弱火で10分ほど煮て、Aを加えてまぜる。　　（牛尾）

Point
野菜はすべて同じくらいの大きさに切りそろえると、均等に火が通り、仕上がりもきれい。

作りおきのコツ
できたても、冷めてもおいしく、冷凍で長期保存もOK。保存は容器に入れて完全に冷まし、湯げなど余分な水分が出ないようにして冷蔵する。冷凍なら1カ月はもつ。

冷蔵したものをあたためる場合は、耐熱容器に入れて電子レンジで1人分につき1分ほど加熱するとよい。

冷蔵で
4〜5日

かぶとごぼうの
レモンソテーサラダ

材料（4人分）
かぶ … 2個
ごぼう … 80g
レモン … 1/6個
A | バター … 10g
　 | サラダ油 … 小さじ1
B | 塩 … 小さじ1/3
　 | しょうゆ、
　 | あらびき黒こしょう
　 | 　… 各適量

作り方
1 かぶは茎を2cmほど残して葉を切り落とし、縦6等分に切る。ごぼうは5mm厚さの斜め切りにし、水にさらす。レモンは5mm厚さの半月切りにする。
2 フライパンを熱し、Aを入れてバターをとかし、1を加え、上下を返しながら弱めの中火で2〜3分焼く。
3 ごぼうが透き通ってかぶにこんがりと焼き色がついたら、まぜ合わせたBを加えて手早くまぜる。　（重信）

作りおきのコツ
バターでいためた野菜は、冷蔵保存すると野菜の表面のバターが固まりやすいので、電子レンジなどで軽くあたためてから味わいたい。

> Part 1 時間がたってもおいしい！おかずサラダ
>
> **野菜だけ**で

ピーラーにんじんのサラダ

材料（4人分）
にんじん … 大1本
セロリ … 1本
セロリの葉 … 適量
A　オレンジジュース … 大さじ3
　　オリーブ油 … 大さじ2
　　酢 … 大さじ1
　　塩 … 小さじ½
　　こしょう … 適量

作り方
1 にんじんはピーラーで縦長のリボン状にむく。セロリは筋をとり、にんじんと同様にピーラーで縦長にむく（リボン状にむくのが難しいようなら、斜め薄切りにする）。セロリの葉は手でちぎる。
2 ボウルにAを入れてまぜ、1を加えてあえ、そのまま15分以上おいてなじませる。　　　　　　（重信）

作りおきのコツ
できたてはシャキシャキとした食感が楽しめて、時間がたつにつれてきしめんのようにやわらかくなじんで、違ったおいしさを味わえる。味がぼけてきたら調味料を足すとよい。

冷蔵で3日

にんじんの
ナッツきんぴら

材料（4〜5人分）
にんじん … 1.5本（200g）
くるみ（いったもの）
　… 大さじ2（20g）
ピーナツ … 大さじ2（20g）
A｜酒 … 大さじ1
　｜しょうゆ … 大さじ1½
　｜みりん … 大さじ1
　｜砂糖 … 小さじ2
ごま油 … 大さじ1

作り方
1 にんじんは5〜6cm長さのせん切りにし、くるみは手で小さめに割り、ピーナツは包丁であらく刻む。Aはまぜ合わせる。
2 フライパンにごま油を入れて熱し、にんじんを2〜3分いためる。しんなりとしたら強火にし、いためながらAで調味する。汁がほぼなくなったら、くるみとピーナツを加えてさっといため合わせる。　（市瀬）

作りおきのコツ
作りおきしても、甘辛味がしっかりしているのでおいしく味わえる。ナッツとにんじんを合わせたら、ナッツにも味がからむように少し長めにいためて。

冷蔵で 5日

Part 1 時間がたってもおいしい！おかずサラダ

野菜だけで

アスパラ、ブロッコリー、おいもの和風サラダ

材料（4人分）
- グリーンアスパラガス … 2束
- ブロッコリー … 1個
- さつまいも … 1本
- 削り節 … 5g
- さくらえび … 10g
- 塩 … 少々
- A
  - だし … 2.5カップ
  - みりん … 大さじ3
  - しょうゆ … 大さじ1½
  - 塩 … 少々
  - ごま油 … 大さじ1

作り方
1. ブロッコリーは小房に分け、アスパラは根元を切り落として下4cmほどの皮を薄くむき、長さを半分に切る。さつまいもは1cm厚さの輪切りにし、水にさらす。
2. なべにAとさつまいもを入れて煮立て、弱火で2分煮てそのまま冷ます。
3. 熱湯に塩を加えてブロッコリーをゆで、ざるにとり出す。続けてアスパラをゆで、水にとって水けをふく。
4. 2に3を加え、20分以上おいて味をなじませ、削り節とさくらえびをのせる。 （夏梅）

ふんわりごま油風味のきいた汁をたっぷり張って盛る。

作りおきのコツ
完全に冷めたら、保存容器に入れて冷蔵する。保存と同時に自然に味をしみ込ませることができる。

冷蔵で 4日

冷蔵で
3日

ブロッコリーの
フライパン蒸しサラダ

材料（4人分）
ブロッコリー … 大1個
塩 … 少々
A ｜ 酢 … 大さじ1
　｜ オリーブ油 … 大さじ2
　｜ ゆずこしょう、塩 … 各少々
サラダ油 … 大さじ1

作り方
1 ブロッコリーは小さめに切り分け、水に3分ひたして水けをきる。Aはまぜ合わせる。
2 フライパンにサラダ油を熱し、ブロッコリーを入れていため、塩、水大さじ3を加えてふたをする。
3 1分半ほど蒸し焼きにして水けをきり、器に入れてAをかける。（今泉）

作りおきのコツ
ブロッコリーは加熱しすぎず、歯ごたえが残る程度にさっと蒸し、よく冷ましてから容器に入れて冷蔵する。かためにゆでると時間がたっても房がバラけない。

Part 1 時間がたってもおいしい！おかずサラダ

野菜だけで

カリフラワーとオリーブのマヨサラダ

材料（4人分）
カリフラワー … 400g
ブラックオリーブ … 10個
マヨネーズ … 大さじ2
酢 … 大さじ1
塩、こしょう … 各少々

作り方
1 ブラックオリーブはみじん切りにし、マヨネーズとまぜ合わせる。
2 なべに湯を沸かし、酢と、湯量に対して1%の塩（分量外）を加え、小房に分けたカリフラワーを入れてゆで、ざるに上げて冷ます。
3 あら熱がとれたら1であえ、塩、こしょうで味をととのえる。　　　（浜内）

Point
みじん切りにしたオリーブの塩分と風味が味の決め手。マヨネーズベースのソースは、淡泊なカリフラワーにパンチをきかせ、時間がたっても美味。

作りおきのコツ
オリーブをまぜ込んだマヨソースの味をぼやけさせないためにも、カリフラワーの水けはしっかりときってからあえる。塩ゆでにして冷ますことで、冷蔵しても水っぽくならない。

冷蔵で3日

冷蔵で
4日

揚げなすの香味たれがらめ

材料（4人分）
- なす … 12個
- 枝豆 … 100g
- ねぎ … 2/3本
- 豆板醤 … 小さじ2/3
- A にんにくのみじん切り、しょうがのみじん切り … 各2かけ分
- B 酒 … 大さじ2
  砂糖 … 小さじ2
  しょうゆ … 大さじ3
- 揚げ油 … 適量
- サラダ油 … 大さじ1

作り方
1. 枝豆はゆでてさやを除く。ねぎは8cm分はせん切りにし、残りはみじん切りにしてAと合わせる。
2. なすはへたを切り落として皮をピーラーでむき、縦6等分に切る。揚げ油を190度に熱し、なすを水けをふいて入れ、ときどきまぜながら薄く色づくまで揚げる。
3. フライパンにサラダ油、ねぎをまぜ合わせたAを入れていため、香りが立ったら豆板醤を加えてさっといためる。Bを加えて煮立ったら、なす、枝豆を加えて手早くまぜ合わせる。器に盛り、せん切りにしたねぎを飾る。

（藤井）

皮の酢じょうゆあえ
なすの皮をピーラーでむいたら、捨てずにゆでて酢じょうゆであえて、もう一品。変色するのですぐ食べる。

作りおきのコツ
甘辛だれと香味野菜は、冷蔵しておくとなすになじんで、いい味に。保存容器に入れるときは、あしらいのせん切りねぎを散らしてのせるとおいしくなじむ。

Part 1 時間がたってもおいしい！おかずサラダ

野菜だけで

なすのカポナータ

材料（作りやすい分量）
なす … 4個（300g）
バジルの葉 … 4〜5枚
A｜酢 … ½カップ
　｜白ワイン … ¼カップ
　｜はちみつ … 20g
　｜あら塩 … 小さじ1（6g）
　｜粒黒こしょう … 5粒
オリーブ油 … 大さじ2

作り方
1. なすはへたを切り落とし、一口大の乱切りにする。
2. フライパンにAを入れて熱し、煮立ったらなすを加えてざっとまぜ、ふたをする。ふきこぼれない程度の火かげんで1分ほど蒸し煮にし、ふたをとって火を強め、まぜながら煮詰める。煮汁がなすにからむようになったら火を止め、バジルをちぎって散らす。
3. 冷めたら保存容器に入れ、オリーブ油を回しかけ、冷蔵庫で30分以上冷やす。　　　　　　（石澤）

作りおきのコツ
保存するときは、清潔な容器を用意し、オリーブ油を回しかける。バジルは手に入らなければ入れなくても十分においしい。

冷蔵で 4日

ほうれんそうの ごまよごし

材料（4人分）
ほうれんそう … 2束（400g）
A｜すり黒ごま … 大さじ4
　｜みそ … 大さじ1⅓
　｜砂糖 … 小さじ2

作り方
1. Aはまぜ合わせる。
2. なべに湯を沸かし、湯量の1％の塩（分量外）を加え、ほうれんそうをさっとゆでる。
3. 冷水にとってさらし、水けをしっかりしぼる。ざく切りにし、Aであえる。

（浜内）

Point
熱湯は1束あたり2カップで大丈夫。少量の湯でもおいしくゆでられて、早く沸騰するのでムダなし。2束なら倍量で。 
水けをしっかりしぼる。しぼり方がゆるいと味がぼけ、保存にも向かない。

作りおきのコツ
あえ衣がしみ込んでもやわらかくなりすぎないよう、ゆですぎないこと。水によくさらしてえぐみを残さないようにする。

冷蔵で 2〜3日

Part 1 時間がたってもおいしい！おかずサラダ

野菜だけで

チンゲンサイの
オイル蒸し

材料（4人分）
チンゲンサイ … 3株
にんにく … 1かけ
赤とうがらしの小口切り
　… ひとつまみ
塩 … 小さじ2/3
こしょう … 少々
オリーブ油（またはごま油）
　… 大さじ1

作り方
1 チンゲンサイは3cm長さのざく切りにし、にんにくは薄切りにする。
2 厚手のなべに1と赤とうがらしを入れて塩、こしょうを振り、オリーブ油を回しかけてふたをし、3分蒸し煮にする。　（牛尾）

作りおきのコツ
塩こしょう味の葉野菜料理は、時間がたつと水分が出てくるので、保存容器に詰めるときは完全に冷まし、汁けをしっかりきって。

冷蔵で1週間

たたきごぼう

材料（4人分）
- ごぼう…2本（200g）
- ピーナツ…60g
- A
  - すり白ごま…大さじ4
  - 砂糖、しょうゆ…各大さじ2
  - 酢…大さじ4

作り方
1. ごぼうは皮をむかず、丸めたアルミホイルで汚れをこすり落とし、びんの底などでたたいてほぐし、10cm長さほどに切る。
2. ピーナツはあらくつぶしてボウルに入れ、Aを加えてよくまぜる。
3. フライパンに水4カップを入れ、ごぼう、酢少々（分量外）を加えて熱する。沸騰したら5分ほどゆで、水けをきって熱いうちに2であえる。　　（浜内）

Point
ごぼうはかたいびんの底などでたたいて繊維をやわらかくすると、短時間で味がしみ込みやすくなる。

ごぼうをゆでるときは、アク抜きせずに酢水に入れ、5分を目安にゆでる。酢を入れることで、白くゆで上がる。かたさはお好みで。

作りおきのコツ
ごぼうは繊維をたたくことで、味がなじみやすく、冷蔵しているうちにさらに味がよくなじむ。できたてもおいしいが、日がたつほどに味わい深くなる。

冷蔵で1週間

Part 1 | 時間がたってもおいしい！おかずサラダ

野菜だけで

にぎわいきんぴら

材料（4人分）
ごぼう … 2本(200g)
さつま揚げ … 2枚
しいたけ … 4個
にんじん … 小½本弱
赤とうがらし … 2本
A｜しょうゆ … 大さじ1
　｜砂糖 … 小さじ2
ごま油 … 大さじ2
いり白ごま … 少々

作り方
1 ごぼうは皮をむかず、丸めたアルミホイルで汚れをこすり落とし、5cm長さの細切りにする。水にさっとさらす程度にひたしてざるに上げ、水けをきる。赤とうがらしは種を除いて小口切りにする。
2 長さをごぼうにそろえて、さつま揚げ、しいたけは薄切りにし、にんじんは細切りにする。
3 フライパンにごま油とごぼうを入れていため、油が回ったら2を加えていため合わせる。全体に火が通ったら、A、赤とうがらしを加えて味をからませ、器に盛ってごまを振る。

（浜内）

作りおきのコツ
保存するときは、多少濃いめに味つけしても。日もちさせるためには、しっかりといためてじっくり火を通すことが肝心。

冷蔵で 5日

冷蔵で
5日

ゆでねぎサラダの
梅ソースがけ

材料（4人分）
ねぎの白い部分 … 3本分
梅干し … 2個
塩 … 少々
A ┃ だし（または水）… 大さじ1
　 ┃ 酢 … 大さじ½
　 ┃ こしょう … 適量
　 ┃ サラダ油 … 大さじ2

作り方
1 ねぎは4cm長さに切る。梅干しは種を除いて包丁でこまかくたたく。
2 なべにねぎ、塩、水½カップを入れて熱し、煮立ったら弱火にしてふたをし、3～4分蒸し煮にして器に盛り、冷ます。
3 ボウルに梅肉とAをまぜ合わせてソースを作り、2にかける。　（大庭）

作りおきのコツ
ねぎはゆでると甘みが強くなるので、さわやかな梅ソースがぴったり。冷蔵すると味が少し薄く感じられるので、保存する場合は塩味を少し強めにしてゆでると、甘みが引き立つ。

Part 1 時間がたってもおいしい！おかずサラダ

野菜だけで

梅甘酢れんこん

材料（4〜5人分）
れんこん … 小2節（200g）
梅干し … 2個
A│砂糖 … 大さじ4
　│酢 … 1/3カップ
　│塩 … 小さじ1/4
　│水 … 1カップ

作り方
1. れんこんは7〜8mm厚さの輪切りにし、梅干しは種を除いて包丁であらくたたく。
2. なべにAを入れて熱し、煮立ったらひとまぜして砂糖と塩をとかす。
3. れんこんを加えて2分30秒ほど煮たら、梅肉を加えてさっとまぜる。

（市瀬）

作りおきのコツ
よく冷まし、保存容器に汁ごと入れて冷蔵する。時間がたってもシャキシャキとした歯ごたえを味わいたいので、煮すぎないように注意。

冷蔵で5日

Column 1
いちばん簡単で安心な作りおきの基本ルール

多めに作って半分は作りおきに……という場合の保存のポイントをご紹介します。これさえおさえれば味が落ちることなく衛生的で、鮮度を長く保てます。

保存容器は消毒する

冷蔵・冷凍保存で最も注意したいのは、保存容器の清潔さ。保存容器は、殺菌作用のある洗剤で洗い、耐熱性のものなら、煮沸するか熱湯をかけるのがベスト。キッチンペーパーで水けをきれいにふくか、清潔なふきんに伏せて乾燥させます。耐熱性でないものは、洗剤で洗って熱めの湯ですすぐとよいでしょう。消毒用のアルコールでふくのも一案。

箸やスプーンでとり分ける

料理を保存容器に入れるときは、清潔な菜箸やスプーンなどを使いましょう。手でさわるのは禁物です。調理器具やふきんなどにも菌は存在するので、洗って乾燥させた清潔な菜箸やスプーンを使い、汚れたらそのつどキッチンペーパーでぬぐうことを心がけて。

保存は冷ましてから

保存するときは完全に冷ましてから冷蔵室や冷凍室に入れることが鉄則。あたたかいまま冷蔵室や冷凍室に入れると、ほかの食材が傷みます。また、あら熱が残っているうちにふたをしてしまうと、なかなか冷めず、保存容器の内部やふたに水滴がでて不衛生です。保存容器を網などにのせると早く冷めます。急ぐときは保冷剤を利用しても。

ラベルに中身と日付をつけて

保存容器に入れたら、料理の名前と作った日付をつけておきましょう。何日保存しているかが把握でき、容器のふたを開けなくても中身がひと目でわかります。特に冷凍の場合、中身が白っぽくなってわかりにくくなりがちなので便利。冷蔵室や冷凍室の扉を開けている時間も短縮できます。ラベルははがせるタイプが便利。

Part 2

ねかせると どんどん おいしくなるサラダ

冷蔵庫に入れておくだけで味がじんわりとなじんで、
どんどんおいしくなるサラダ。
調理時間はわずかなのに保存の時間が味を熟成させる、
ラクしておいしい一石二鳥レシピです。

コールスローサラダ

材料（作りやすい分量）
キャベツ … ½個（500g弱）
粒コーン缶 … 小½缶（65g）
塩 … 少々
A │ マヨネーズ … 大さじ5
　│ 酢 … 大さじ1½
　│ 砂糖 … 大さじ½
　│ 塩 … 小さじ¼
　│ こしょう … 少々
パセリのみじん切り … 少々

作り方
1 キャベツは縦半分に切り、軸を除いて7〜8mm角のざく切りにし、塩を振って20分ほどおく。
2 全体を手で軽く押してなじませ、ざるに入れて水を回しかけて塩けを落とし、ふきんでひとつかみずつ包んで水けを振りきる。コーンは缶汁をきる。
3 まぜ合わせたAであえ、パセリを振る。

（夏梅）

しんなりとして味がなじんだら食べごろ。

作りおきのコツ
キャベツの水けはしっかりきることが大事。長めに保存したいときは、ときどき全体をまぜて、水分が出たら捨てるとよい。

冷蔵で4日

Part 2 ねかせるとどんどん おいしくなるサラダ

にんじんのラペサラダ

材料（4人分）
にんじん … 4本(600g)
塩 … 適量
粒マスタード … 小さじ2強
酢 … 大さじ2
こしょう … 少々
オリーブ油 … 大さじ2

作り方
1 にんじんは食べやすい長さのせん切りにし、ボウルに入れて塩小さじ1を振ってもむ。しばらくおいてしんなりとしたら、水けをしっかりしぼる。
2 粒マスタード、オリーブ油、酢、塩少々、こしょうを順に加え、よくまぜる。器に盛り、あればイタリアンパセリを添える。　　（浜内）

Point
にんじんに塩を振ってもむと、余分な水分が抜け、短時間で味がしみ込みやすくなる。

作りおきのコツ
時間がたつにつれて味がなじむ。にんじんから余分な水分が出ないように、最初に水けをしっかりとしぼる。

冷蔵で1週間

ドライトマトと なすのマリネ

材料（4人分）
ドライトマト…40g
なす…4個
にんにくのみじん切り…1かけ分
パセリのみじん切り…適量
レモン汁…大さじ4
塩…小さじ½
こしょう…少々
オリーブ油…大さじ4

作り方
1 ドライトマトはぬるま湯に10分ほどひたしてもどし、水けをしぼる。大きいものは半分に切る。なすは5mm厚さの輪切りにする。
2 フライパンにオリーブ油大さじ2を熱し、なすを入れて焼く。焼き色がついたら残りのオリーブ油を加え、にんにく、ドライトマトを順に加えていため合わせる。
3 塩、こしょうで味をととのえ、ボウルに移してレモン汁を振る。大きくまぜてしばらくおき、味がなじんだら器に盛ってパセリを振る。（牛尾）

Point
ドライトマトはぬるま湯をひたひたに注ぎ、10分ほどおくと、ほどよくもどる。凝縮したトマトが甘ずっぱくて濃厚。

作りおきのコツ
オリーブ油とレモン汁が行き渡るように全体になじませ、味をしみ込ませる。なすから出た水分もドライトマトが吸ってくれて、うまみがいっそう豊かに。

冷蔵で5日

Part 2 ねかせるとどんどん おいしくなるサラダ

ミニトマトの ハニーマリネ

材料（4人分）
ミニトマト
…1パック（15〜18個）
A │ 酢…小さじ2
  │ エキストラバージン
  │ オリーブ油…小さじ2
  │ はちみつ…小さじ2/3〜1
  │ 塩…少々

作り方
1 ミニトマトはへたをとり、皮に1本浅く切り目を入れる。
2 なべに湯を沸かし、沸騰したら1を入れて5〜6秒で引き上げ、たっぷりの水をはったボウルに入れて湯むきする。
3 トマトを別のボウルに入れ、まぜ合わせたAであえてしばらくおき、味をなじませる。　　　　（植松）

作りおきのコツ
ミニトマトの湯むきは皮に切り目を入れておけば、一気にツルッとむくことができて簡単。湯むきにすると、味のしみ込みが格段にアップする。

冷蔵で 2〜3日

冷蔵で
5日

Part 2 ねかせるとどんどんおいしくなるサラダ

きのこのマリネ

材料
(作りやすい分量・でき上がり約700g分)
マッシュルーム、エリンギ、
しめじ、まいたけ … 各1パック
しいたけ、えのきだけ … 各1袋
玉ねぎ … 1個(250g)
にんにくのみじん切り … 小さじ½
A │ 白ワインビネガー … ¼カップ
　│ 塩 … 大さじ½
　│ こしょう … 適量
オリーブ油 … 大さじ4

作り方
1. きのこは石づきを除く。しいたけ、マッシュルームは縦4等分に切り、エリンギは長さを半分に切って縦4〜6等分に切る。しめじ、まいたけは大きくほぐし、えのきは長さを半分に切ってほぐす。玉ねぎは縦に薄切りにする。
2. きのこを3回に分けていためる。フライパンにオリーブ油大さじ1を熱し、きのこの⅓量を入れて広げ、しばらく焼きつける。焼き色がついたらフライパンをときどき揺すって水分をとばし、香ばしくなったらいったんとり出す。残りも同様にいためてとり出す。
3. フライパンに残りのオリーブ油とにんにくを入れて熱し、玉ねぎを広げ、しばらく焼きつける。焼き色がついてきたらときどき揺すりながらいため、全体に焼き色をつける。2を戻し入れ、Aを加えてまぜる。

(川上)

作りおきのコツ
保存容器に入れ、完全に冷ましてからふたをして冷蔵する。味が均等になじむようにときどき上下を返してまぜるとよい。

Arrange きのこのマリネで一品
イタリアンサラダ

材料(2人分)
「きのこのマリネ」… 100g
ゆで卵、生ハム、サラダ菜、トマト、
チコリ … 各適量
A │ エキストラバージンオリーブ油、
　│ レモン汁 … 各適量
　│ 塩、こしょう … 各少々

作り方
1. 「きのこのマリネ」に味をみながらAを加えてまぜる。
2. 器に野菜とともに盛り、ゆで卵、生ハムを添える。

※野菜や添える生ハムなどは好みのものでOK。

ナムル5種

大根のナムル

クレソンのナムル

しめじのナムル

豆もやしのナムル

ごぼうのナムル

冷蔵で
2〜3日

Part 2 ねかせるとどんどん
おいしくなるサラダ

クレソンのナムル

材料（作りやすい分量・2人分）
クレソン50g　A（しょうゆ小さじ1　砂糖、こしょう各少々　ごま油小さじ¼　にんにくのすりおろし少々　ねぎのみじん切り2cm分）　いり白ごま少々

作り方
クレソンはさっとゆで、冷水にとって冷まし、水けをしぼる。4cm長さに切り、Aであえてごまを振る。

豆もやしのナムル

材料（作りやすい分量・2人分）
豆もやし100g　A（塩、こしょう、砂糖各少々　ごま油小さじ¼　にんにくのすりおろし少々　ねぎのみじん切り2cm分）　いり白ごま少々

作り方
豆もやしはひげ根をざっと除き、3～4分ゆでてざるに上げる。あら熱がとれたらAであえ、ごまを振る。

作りおきのコツ
どのナムルも、塩でもんだりゆでたりして野菜の水分をしっかりしぼってから、ナムル液であえる。保存する場合は、特に水けをしっかりしぼること。

大根のナムル

材料（作りやすい分量・2人分）
大根200g　塩小さじ½　A（砂糖少々　酢、粉とうがらし各小さじ2　にんにくのすりおろし少々　ねぎのみじん切り2cm分）　いり白ごま少々

作り方
大根は食べやすい長さの細切りにし、塩を振ってもむ。しんなりとしたら水けをしぼり、Aであえてごまを振る。

しめじのナムル

材料（作りやすい分量・2人分）
しめじ1パック　A（塩、こしょう、砂糖各少々　ごま油小さじ½　にんにくのすりおろし少々　ねぎのみじん切り2cm分）　いり白ごま少々

作り方
しめじは石づきを切り落として小さくほぐし、さっとゆでてざるに上げる。あら熱がとれたらAであえ、ごまを振る。

ごぼうのナムル

材料（作りやすい分量・2人分）
ごぼう½本（50g）　A（塩、こしょう、砂糖各少々　ごま油小さじ½　にんにくのすりおろし少々　ねぎのみじん切り2cm分）　いり白ごま少々

作り方
ごぼうはなべの大きさに合わせて切ってなべに入れ、水を注いで10～12分ゆでる。ざるに上げてあら熱をとり、すりこ木などでたたいて割れ目を入れる。4cm長さに切り、手で食べやすく裂き、Aであえてごまを振る。　　　　　（以上、検見﨑）

冷蔵で
1週間

ザワークラウト

材料（作りやすい分量）
キャベツ … 1個
塩 … 少々
レモン … ½個
A｜粒こしょう（白、黒）
　　… 合わせて小さじ½
　　塩 … 小さじ1
　　キャラウェイシード
　　… 小さじ⅓
　　ローリエ … 2枚
　　赤とうがらし … 1本
　　水 … ⅔カップ

作り方
1 キャベツは縦半分に切り、軸を除いて1.5cm幅のざく切りにする。ボウルに入れ、塩を振って20分ほどおき、手で軽く押してなじませてから水を注ぎ、ざるに上げる。手早くふきんで包んで水けをきり、ボウルに戻す。
2 レモンは皮をむき、Aとともになべに入れて火にかけ、煮立ったら火から下ろしてあら熱をとり、1に加える。
3 重しをして半日以上漬ける。（夏梅）
※重しがない場合、ポリ袋などに入れ、空気を抜いて口をしばって漬けても。

ボイルソーセージ、粒マスタードと相性抜群。

作りおきのコツ
保存容器に汁ごと入れて冷蔵する。大きめのファスナーつき保存袋に入れてもよい。その場合、余分な空気を抜き、ファスナーをしっかり閉める。

Part 2 ねかせるとどんどんおいしくなるサラダ

大根と
にんじんのなます

材料（4人分）
大根 … 600g
にんじん … 80g
赤とうがらし … 2本
塩 … 小さじ2½
甘酢＊ … 130〜140㎖

＊甘酢（作りやすい分量）は、酢3カップ、砂糖½カップ（55g）、塩小さじ2をまぜ合わせてよくとかす（常温で1カ月保存可）。

作り方
1 大根とにんじんは細切りにし、大根は塩小さじ2をまぶし、にんじんは塩小さじ½をまぶす。それぞれ水けが出るまで10分ほどおき、大根とにんじんを合わせて両手でしっかりと水けをしぼる。
2 赤とうがらしはへたをとって種を除き、保存容器に入れて1を加える。
3 甘酢を加えてまぜ合わせ、しっかりふたをして一晩以上漬ける。　　（石澤）
※好みで干しあんずをいっしょに漬け込んでも。

Point
野菜の水けが残っていると傷みやすいのでよくしぼる。塩できちんと水分を抜くことで食感もほどよく仕上がる。

作りおきのコツ
保存はしっかりふたの閉まる保存びんがおすすめ。逆さまにしておくと少量の甘酢でも味がよくなじむ。

冷蔵で1カ月

野菜の揚げびたし

材料（4人分）
かぼちゃ、れんこん … 各100g
にんじん … 1/3本
玉ねぎ … 1/4個
A　だし … 1カップ
　　しょうゆ、みりん
　　　… 各小さじ1 1/2
　　酒 … 大さじ1
　　塩 … 少々
　　しょうがのしぼり汁
　　　… 小さじ1/2
　　赤とうがらし … 1本
揚げ油 … 適量

作り方
1 かぼちゃ、れんこん、にんじんは1cm厚さの一口大に切り、玉ねぎは同じくらいの大きさのざく切りにする。
2 なべにAを入れてひと煮立ちさせ、保存容器に移す。
3 揚げ油を170度に熱し、1を順に揚げ、油をざっときったら熱いうちに2に入れる。
4 完全に冷めたらふたをし、冷蔵庫にしばらくおいて味をなじませる。
（牛尾）

Point
野菜は揚げたらすぐにつけ汁に。網じゃくしなどを使って油をきり、熱々のうちにつけ汁に入れると味がしみ込みやすい。

作りおきのコツ
つけ汁にしょうが汁や赤とうがらしを加えることで、味を引き締め、日もちをよくする。冷蔵保存し、つけ汁がムラなく行き渡るよう、ときどき上下を返す。

冷蔵で1週間

Part 2 ねかせるとどんどんおいしくなるサラダ

牛ステーキと焼きなすの焼き漬けサラダ

材料（4人分）
牛肉（ステーキ用）… 2枚
なす … 6個
セロリ … 12cm
セロリの葉 … 少々
塩、こしょう … 各適量
A ┃ 薄口しょうゆ、レモン汁
　 ┃ 　… 各大さじ2
　 ┃ にんにくのすりおろし
　 ┃ 　… 小さじ½
　 ┃ こしょう … 少々
レモン … 適量

作り方
1 牛肉は塩、こしょうを強めに振る。フライパンは油を引かずに強めの中火で熱し、熱くなったら牛肉を入れて焼く。表面に焼き色がついたら上下を返し、好みのかげんに火を通し、あら熱がとれたら5mm角の棒状に切る。
2 熱した焼き網（またはグリル）になすをのせ、皮全体が焦げるまで焼く。冷水にとって冷まし、へたを切り落として皮をむき、長さを半分に切って四つ割りにする。セロリは筋をとって斜め薄切りにし、葉は細切りにする。
3 ボウルにAを入れ、1、なす、セロリを加えてあえる。食べるときにセロリの葉を飾り、レモンを添える。（瀬尾）

作りおきのコツ
保存容器に入れて冷蔵庫で保存。牛肉の脂肪分が固まりやすいので、もも肉やヒレ肉のように脂肪の少ない肉がおすすめ。

冷蔵で2~3日

冷蔵で
1週間

焼きアスパラガスの
おひたし

材料（4人分）
グリーンアスパラガス … 8本
めんつゆ（ストレートタイプ）
… ½カップ
赤とうがらし … 1本

作り方
1 アスパラは筋とはかまを除き、保存容器に合わせて長さを切り、グリル（またはオーブントースター）で全体に焼き色がつくまで焼く。
2 あたたかいうちに保存容器に並べ、めんつゆを注ぎ、赤とうがらしを加える。
3 冷めたらふたをし、冷蔵庫にしばらく入れて味をなじませる。　（牛尾）

作りおきのコツ
冷蔵中にときどきアスパラの上下を返すと、めんつゆに均等にひたり、味ムラができない。

食べやすく切って器に盛る。

Part 2 ねかせるとどんどん おいしくなるサラダ

エリンギと2色ピーマンの焼きびたし

材料（4人分）
エリンギ… 2パック（200g）
ピーマン（緑、赤）… 各4個
A｜だし… 大さじ6
　｜しょうゆ、酢… 各大さじ1
　｜オリーブ油… 小さじ½

作り方
1 エリンギは食べやすく手で裂き、ピーマンはへたと種を除いて、縦に約3cm幅に切る。
2 熱した焼き網（またはオーブントースター）で1をこんがりと焼く。
3 ボウルにAを入れて2を加え、上下を返しながら5〜6分つける。（池上）

作りおきのコツ
エリンギもピーマンも、しっかり焼き色がつくように焼いておくと、時間がたっても香ばしさが残り、だしとからんで絶妙の味に。

冷蔵で5日

ズッキーニとパプリカのミントマリネ

材料（4人分）
- ズッキーニ … 1本
- パプリカ（黄、赤）… 各1個
- 塩 … 少々
- A
  - 白ワインビネガー、オリーブ油 … 各大さじ4
  - 塩 … 小さじ1
  - こしょう … 少々
  - ミントの葉 … 40枚
- オリーブ油 … 少々

作り方
1. ズッキーニは両端を切り落とし、長さを2〜3等分に切って縦に2〜3mm厚さに切り、オリーブ油をからめる。
2. なべに湯を沸かして塩を加え、1を入れてさっとゆで、ざるに上げて水けをきる。
3. パプリカはへたと種を除き、熱した魚焼きグリルに並べ、焦げ目がつくまで焼く。アルミホイルに包んで蒸らし、あら熱がとれたら薄皮をむいて縦に5mm幅に切る。
4. バットに2、3を入れ、よくまぜたAを回しかけ、冷蔵庫に30分以上おいて味をなじませる。（牛尾）

Point
パプリカは真っ黒に焦がして焼き、すぐにアルミホイルに包んで蒸らし、少し冷まして薄皮をむく。

作りおきのコツ
ズッキーニは火が通りすぎると果肉がくずれやすい。保存するときは、ゆですぎず、マリネ液に漬けておいても歯ごたえが残るくらいがおいしさのポイント。

冷蔵で4日

Part 2 ねかせるとどんどん おいしくなるサラダ

パプリカの カレーマリネ

材料（作りやすい分量・6人分）
パプリカ（赤）…2個
A│レモン汁…大さじ1
　│カレー粉、塩…各小さじ½
　│こしょう…少々
　│オリーブ油…大さじ2

作り方
1 パプリカは縦4等分に切ってへたと種を除き、魚焼きグリルで焦げるまで焼き、薄皮をむいて1cm幅に切る。
2 ボウルに入れてAを加え、よくあえてしばらくおき、味をなじませる。

（牛尾）

作りおきのコツ
薄皮をむいたパプリカは、漬けるほどに味が入っていく。甘いパプリカをレモンの酸味とカレーの風味が引き立てる。パプリカがマリネ液にひたひたにつかるくらいがベスト。

冷蔵で1週間

冷蔵で
1週間

じゃがいものゆかりあえ

材料（4人分）
じゃがいも … 大1個（200g）
A ｜ ゆかり … 小さじ2
　　 サラダ油 … 大さじ1
　　 塩 … 少々

作り方
1 じゃがいもは7〜8mm幅の細切りにし、熱湯で1分ほどゆでてざるに上げ、水分をとばしながら冷ます。
2 ボウルにAを入れてまぜ、1を加えてあえる。
(牛尾)

作りおきのコツ
余分な水分を残さないよう、ゆでたてのじゃがいもをざるに広げ、冷ましながら水分を完全にとばすことが大切。

そのまま盛るだけで
副菜、おべんとうに。

Part 2 ねかせるとどんどん おいしくなるサラダ

じゃがいもの コチュジャンあえ

材料（4人分）
じゃがいも … 4個
A｜コチュジャン … 大さじ2
　｜砂糖、しょうゆ、ごま油
　｜… 各小さじ2
いり白ごま … 小さじ1

作り方
1 じゃがいもは1cm角の棒状に切る。Aはまぜ合わせる。
2 耐熱皿にキッチンペーパーを敷き、じゃがいもを並べてラップをふんわりとかけ、電子レンジで6分加熱する。
3 熱いうちにAであえ、ごまを振る。
（牛尾）

作りおきのコツ
じゃがいもから出る余分な水分を電子レンジでとばし、キッチンペーパーで吸収。味もよくなじみ、日もちもよくなる。

冷蔵で
4日

冷蔵で **5日**

きのことザーサイの中華風オイル漬け

材料（4〜5人分）
- しめじ … 2パック（200g）
- えのきだけ … 1袋（100g）
- ザーサイ（味つき）… 50g
- A
  - しょうゆ … 小さじ1
  - サラダ油、ごま油 … 各大さじ3
  - あらびき黒こしょう … 少々
  - 塩 … 小さじ½

作り方
1. しめじは石づきを除いて小房に分ける。えのきは根元を切り落としてほぐす。ザーサイは細切りにする。
2. なべに湯を沸かし、しめじ、えのきをさっとゆで、ざるに上げて水けをしっかりときる。
3. ボウルにAを入れてまぜ、2、ザーサイを10分以上漬ける。食べるときに好みであらびき黒こしょうを振る。

（市瀬）

作りおきのコツ
きのこはゆでて水けをしっかりとばし、たれであえる。完全に冷ましてから保存容器に入れて冷蔵する。

Part 2 ねかせるとどんどん おいしくなるサラダ

えのきとキャベツの
簡単キムチ風

材料（4人分）
えのきだけ … ½袋
キャベツ … 100g
さくらえび … 5g
塩 … 小さじ1
酢 … 小さじ2
A｜にんにくのすりおろし、
　｜しょうがのすりおろし
　｜　… 各少々
　｜すり白ごま、砂糖
　｜　… 各小さじ2
　｜一味とうがらし
　｜　… 小さじ1

作り方
1　えのきは根元を切り落としてほぐし、熱湯でさっとゆでてざるに上げ、水けをふく。キャベツは食べやすくちぎる。
2　ボウルに1を入れ、塩、酢、水少々を振ってからめ、重しとして皿などをしばらくのせ、水けを軽くしぼる。
3　さくらえび、Aを加え、手でもんでなじませる。　　　　　　（コウ）

Point
重しをのせたキャベツとえのきは、しっとり感が残る程度に水けをしぼる。調味料は手でもみ込んでまんべんなくなじませること。

作りおきのコツ
保存容器に入れて冷蔵する。食べるときは、汁けをきるようにして器に盛る。

冷蔵で4日

冷蔵で**3日**

キャベツと
サーモンの重ね漬け

材料（作りやすい分量）
キャベツ … 300g
スモークサーモン
　… 60g
にんじん … 1/2本
青じそ … 1束
レモンの薄切り
　… 1/2個分
塩 … 小さじ2

作り方
1 キャベツは軸を除き、1枚を4〜6等分に切る。にんじんはピーラーで幅の広いリボン状に切る。
2 耐熱のポリ袋に入れ、塩をまんべんなくまぶし、電子レンジで50秒加熱する。上下を返してさらに20〜50秒加熱し、そのまま冷ましてあら熱をとる。
3 皿にキャベツの1/3量を敷き、にんじん、青じそ、スモークサーモン、レモンを各半量ずつ順に重ねる。これをもう一度くり返し、最後に残りのキャベツを重ねる。
4 ラップをかけ、重しとして皿をのせ、なじむまで1時間以上おき、食べる直前に食べやすく切る。　　　　　　　　　　（重信）

作りおきのコツ
キャベツは皿の上に四角くなるように敷き、その上にまんべんなく材料を重ね、きれいな層にする。食べる直前に切り分けても、切って保存容器に入れてもOK。

Part 2 ねかせるとどんどん おいしくなるサラダ

きゅうりと
くらげの中華酢の物

材料（4人分）
きゅうり…2本
塩くらげ…60g
A│酢…大さじ2
　│砂糖、しょうゆ
　│…各小さじ2
　│豆板醤…小さじ1

作り方
1 くらげは塩をよく洗い流し、たっぷりの水につけて半日ほどおき、やわらかくもどす。
2 きゅうりは斜め薄切りにし、ずらすように重ねて端からせん切りにする。
3 くらげの水けをしっかりきり、食べやすい長さに切る。ボウルにきゅうりとともに入れ、まぜ合わせたAを加えてあえる。　　　　（清水）

作りおきのコツ
塩を抜いたくらげは、酢をきかせたピリ辛だれであえておくと、日ごとにまろやかになじむ。きゅうりから水分が出るので、保存する場合は塩でもんで水けをしぼっておくとよい。

冷蔵で 3〜4日

冷蔵で **3日**

ミニトマトとサーモンの粒マスタードマリネ

材料（4人分）
スモークサーモン … 200g
ミニトマト … 200g
玉ねぎ … 2個
レモン（国産）… 1/2個
塩 … 少々
A │ 粒マスタード … 大さじ1 1/2
　│ 酢 … 大さじ2
　│ 塩 … 小さじ 2/3
　│ こしょう … 少々
　│ オリーブ油 … 大さじ3

作り方
1 玉ねぎは縦半分に切ってしんを除き、横に薄切りにして塩を振る。10分おいてもみ、手早く洗って水けをしぼる。
2 レモンは四つ割りにしてから薄切りにする。ミニトマトは洗って水けをふく。
3 ボウルにAを入れ、1、2を加えてあえ、スモークサーモンを食べやすい大きさにちぎって加える。（夏梅）

玉ねぎたっぷりで、箸休めにぴったり。

作りおきのコツ
保存容器に入れて冷蔵庫で保存。ミニトマトは切らずにそのまま漬けると水分が出にくく、日もちがアップ。たっぷりの玉ねぎで味がどんどん深くなる。

Part 2 ねかせるとどんどんおいしくなるサラダ

鮭のサルサソースマリネ

材料（4人分）
甘塩鮭 … 4切れ
トマト … 1個
玉ねぎ … 1/2個
ピーマン … 2個
白ワイン … 小さじ2
A ┃ レモン汁 … 大さじ4
　 ┃ タバスコ、はちみつ
　 ┃ 　… 各小さじ1
　 ┃ 塩 … 少々

作り方
1 鮭は2〜3等分に切り、ワインを振って5分ほどおく。
2 トマトはへたを除き、ピーマンは種とへたを除き、玉ねぎとともにみじん切りにしてAとまぜ合わせる。
3 鮭の水けをキッチンペーパーでふき、熱した魚焼きグリルなどで両面がカリッとするまで7〜8分焼く。熱いうちに2に加え、あら熱がとれたら冷蔵庫に入れて30分以上なじませる。器に汁ごと盛る。　　　（藤井）

作りおきのコツ
サルサソースは、保存すると野菜の水分で味がぼけやすいので、タバスコを少し強めにきかせても。長めに保存するなら、好みで鮭の皮は除いても。

冷蔵で2日

冷蔵で
3日

いかとれんこんの
オリーブマリネ

材料（4人分）
いか … 小4はい
れんこん … 200g
ブラックオリーブ … 12個
A ┃ にんにくの薄切り … 1かけ分
　┃ レモンの半月切り … 16枚
　┃ レモン汁 … 大さじ2
　┃ オリーブ油 … 大さじ4
　┃ 塩 … 小さじ½
　┃ こしょう … 少々

作り方
1. いかはわたを除いて皮をむく。胴は7〜8mm幅の輪切りにし、えんぺらと足は食べやすく切る。れんこんは薄い輪切りにする。ボウルにAをまぜ合わせ、マリネ液を作る。
2. なべに湯を沸かし、れんこんをさっとゆでてざるにとり出す。残った湯を再び沸騰させていかを入れ、再び煮立ったらざるに上げる。
3. いかとれんこんが熱いうちに、マリネ液に入れてあえ、全体がなじんだらオリーブを加えてまぜる。

（検見崎）

Point
いかはゆですぎると身がかたくなるので、ひと煮立ち程度で湯から引き上げ、熱いうちにマリネ液に漬け込む。

作りおきのコツ
保存袋ならマリネ液が少なくても行き渡るのでおすすめ。容器で保存するなら、ときどき上下を返して。

Arrange
いかとれんこんの
エスニックマリネ

材料（4人分）
いか … 小4はい
れんこん … 200g
A（ナンプラー大さじ2　レモン汁大さじ4　砂糖大さじ1　にんにくのみじん切り1かけ分　赤とうがらしの小口切り少々）

作り方
1. いかは皮をむかず、わたを除いて胴は1.5cm幅の輪切りにし、足は食べやすく切る。れんこんは縦半分に切ってから2〜3cm長さに切り、さらに乱切りにする。
2. Aをまぜ合わせてマリネ液を作り、1をゆでて上記と同様にあえ、あれば香菜少々をあしらう。

Part 2 ねかせるとどんどんおいしくなるサラダ

切りこぶと
切り干し大根のポン酢サラダ

材料（4人分）
切りこぶ … 20g
切り干し大根 … 40g
かに風味かまぼこ … 8本
そばのスプラウト* … 2パック
A | ポン酢しょうゆ … 大さじ6
  | サラダ油 … 大さじ3
＊そばのスプラウトがない場合は、貝割れ菜でもOK。

作り方
1 切りこぶ、切り干し大根はそれぞれ洗って水につける。やわらかくもどったら、水けをしぼって5cm長さに切る。
2 スプラウトは根元を切り落とす。かにかまはこまかくほぐす。
3 ボウルに1と2を入れ、Aを加えてあえる。　　　　　　　　　（牛尾）

Memo
そばのスプラウト
そばの新芽で、栄養豊富で味にクセがない。茎が赤く、料理のアクセントにも◎。サラダやあえ物、汁物のあしらいにおすすめ。

作りおきのコツ
スプラウトはしんなりとしてしまうので、長めに保存したいなら食べる直前にあえるのがおすすめ。乾物はじっくり漬けるサラダにぴったり。

冷蔵で5日

Part 2 ねかせるとどんどん おいしくなるサラダ

ひじきとビーンズのサラダ オニオンごまドレッシング

材料（4人分）
ひじき（乾燥）… 20g
ミックスビーンズ（ドライパック）
… 1カップ
ラディッシュ … 8個
ルッコラ … 50g
A｜玉ねぎのすりおろし、
　しょうゆ、酢 … 各大さじ4
　にんじんのすりおろし、砂糖
　　… 各大さじ2
　にんにくのすりおろし
　　… 小さじ1
　ねり白ごま … 大さじ1⅓
　サラダ油 … 大さじ6

作り方
1 ひじきはよく洗って水につけ、やわらかくもどったら水けをしぼる。長いものは食べやすく切る。
2 ラディッシュは葉を切り落とし、5mm角に切る。ルッコラはざく切りにする。
3 Aはよくまぜ合わせる。
4 ボウルに1、2、ミックスビーンズを入れ、Aを加えてあえる。（牛尾）

作りおきのコツ
ドレッシングに濃度があるので、全体をよくまぜてから保存容器に入れて冷蔵する。ときどき大きくまぜると、味がまんべんなく行き渡る。

冷蔵で **3日**

冷凍で1カ月

キドニービーンズと玉ねぎのマリネサラダ

材料（5〜6人分）
キドニービーンズ缶 … 200g
玉ねぎ … ½個
塩 … 小さじ¼
A｜オリーブ油、レモン汁
　　… 各大さじ1
　　パセリのみじん切り
　　… 小さじ½
　　塩、こしょう … 各少々

作り方
1 玉ねぎはみじん切りにして塩をまぶし、水分が出てきたらふきんなどで包んでしっかりとしぼる。
2 キドニービーンズは缶汁をきってボウルに入れ、1、Aを加えてあえ、なじませる。　　　　　　　　（牛尾）

作りおきのコツ
日もちは冷蔵で1週間、冷凍で1カ月と、長期保存できるのも魅力。冷凍の場合、自然解凍でOK。小分けにして保存容器に入れると、おべんとうにもそのまま使えて便利。

Part 2 ねかせるとどんどん おいしくなるサラダ

チリコンカン

材料（2〜3人分）
キドニービーンズ缶
…1缶（120g）
合いびき肉…150g
玉ねぎのみじん切り…½個分
にんにくのみじん切り…1かけ分
赤とうがらし…½本
A │ トマト缶…½缶（200g）
　│ トマトケチャップ…大さじ1
　│ ウスターソース…大さじ3
　│ 水…½カップ
塩、こしょう…各適量
オリーブ油…大さじ½

作り方
1 赤とうがらしは種を除いてあらみじんに切る。
2 なべにオリーブ油とにんにく、赤とうがらしを入れて1分ほどいため、香りが立ってきたら玉ねぎを加えていためる。玉ねぎが透き通ってきたらひき肉を加えていため合わせる。
3 キドニービーンズ、Aを加え、ときどきまぜながら、ふたをせずに弱めの中火で10分ほど煮込み、塩、こしょうで味をととのえる。　（上田）

Point
ひき肉のいため方が足りないと豆に肉くささが移るので、ひき肉はしっかりといためる。

作りおきのコツ
保存容器に入れて冷蔵する。煮込むときに汁けをしっかりとばしておくと、冷蔵しても脂が浮きにくい。食べるときは軽くあたためるのがおすすめ。

冷蔵で 3日

Column 2
短時間＆ムダなし！
ポリ袋でできる
漬け込みワザ

手近な保存袋やポリ袋を使って
おいしいマリネや漬け物ができるワザをご紹介。
□短時間で完成　□少量の漬け汁でOK　□衛生的
□洗い物が最小限　□冷蔵庫でスペースをとらない
と、いいことずくめの袋漬けをマスターしましょう！

漬け汁は少量でOK！

保存容器で漬けるとたくさんの漬け汁が必要だが、袋を使えば少量の漬け汁で全体に行き渡らせることができる。ポイントは、袋の口を閉じる際に空気のすき間ができないよう、しっかり空気を抜くこと。

調味料をまんべんなくまぶす

袋に野菜と調味料を入れて袋の口を閉じ、大きく振る。口を閉じるときに少し空気を入れるのがコツ。まず野菜に塩などをまぶすときなどは、袋を使うと簡単！　手でまぜるより清潔で、早く均等にまぶせる。

袋に入ればどんな形や量でもOK

たとえば長くてはみ出してしまうような野菜でも、袋に入りさえすれば大丈夫。また、ほんの少量でも漬けることができ、量の多少を選ばないのも便利。半端な残り野菜を漬け物にしたいときなどにもおすすめ。

袋の上からもむと味がよくなじむ

袋の上からもみ込むことで、野菜に味をしっかりとしみ込ませることができる。保存容器で漬けるよりも早いので、即席で漬け物を作りたいときに便利。袋の口はしっかりと閉じ、汁もれ防止には袋を二重にしても。

※ファスナーつき保存袋またはポリエチレン製のポリ袋を使用。袋は必ず1回ごとに使い捨てに。
※冷蔵保存するときは、水分がにじみ出しても大丈夫なようにバットなどにのせて。

Part 3

野菜がたっぷりとれる
常備のピクルス・漬け物

漬け物やピクルスは保存食の代表。
しんなりとなじんでかさが減るので、常備しておくと
意外にたっぷり野菜を食べることができます。
袋漬けやレンジ漬けなど即席レシピも必見!

冷蔵で
1カ月

好みの野菜を自由に漬けて楽しめる。

作りおきのコツ
漬け込む野菜の目安は400〜600g。すっきりと初夏から夏向きに仕上げたピクルス。常温なら日の当たらない涼しい場所で2週間もつ。

レモン風味ピクルス

材料（作りやすい分量）
セロリ、きゅうり
　…各2本(200g)
赤ピーマン …2個(60g)
レモン …1個(70g)
A｜酢、水 …各1カップ
　　砂糖 …35g
　　あら塩 …小さじ1(6g)
　　ローリエ …1枚
　　赤とうがらし …1本
　　粒黒こしょう …小さじ½

作り方

1 セロリは茎は乱切りにし、葉は食べやすく切る（葉は色が悪くなりやすいので½本分ほどを使う）。きゅうりは乱切りにする。赤ピーマンは縦半分に切り、へたと種を除いて1〜2cm角に切る。

2 レモンは皮をむいてから薄い輪切りにし、種を除く（国産レモンの場合は皮を塩少々〈分量外〉でこすって洗い、皮ごと輪切りにする）。

3 清潔な保存びんに1、2を入れる。

4 なべにAを入れて煮立て、3に注ぎ、冷めたらふたをする。3時間後から食べごろに。　　　（石澤）

Part 3 野菜がたっぷりとれる
常備の**ピクルス・漬け物**

パリパリ和風ピクルス

材料（作りやすい分量）
かぶ … 1個
きゅうり … 1本
セロリ、にんじん … 各½本
こぶ … 10cm
A │ 酢 … 1カップ
　│ 砂糖 … 大さじ1
　│ 塩、薄口しょうゆ
　│ 　… 各小さじ1
　│ 赤とうがらし … 1本
　│ しょうがのしぼり汁
　│ 　… 小さじ½

作り方
1 かぶは茎を1〜2cm残して葉を切り落とし、皮をむいて8等分のくし形に切る。きゅうり、セロリ、にんじんは一口大の乱切りにする。
2 こぶはかたくしぼったぬれぶきんでふく。ボウルにAを入れてまぜ、こぶを加える。
3 なべにたっぷりの湯を沸かし、1を入れてさっとゆで、水けをきって熱いうちに2に加える。そのまま半日以上漬けて味をなじませる。（牛尾）

作りおきのコツ
保存容器またはジャムなどのびんがおすすめ。きゅうりなど本来は生で漬ける野菜も、さっとゆでてから漬けると、味を吸収しやすく、日もちもよくなる。

冷蔵で 10日

冷蔵で
1週間

カリフラワーの
カレーピクルス

材料（4人分）
カリフラワー … 小1個(300g)
レーズン … 30g
A │ 酢 … 1/2カップ
　 │ 塩 … 小さじ1 1/3
　 │ しょうゆ … 小さじ1
　 │ カレー粉 … 大さじ1/2
　 │ 水 … 1 1/4カップ

作り方
1 カリフラワーは小房に分け、大きいものはさらに半分に切る。
2 なべにAを入れてまぜ、煮立てる。
3 ボウルにカリフラワーとレーズンを入れ、2を加えてそのまま冷ます。冷蔵庫で1時間以上おいてなじませる。　　　　　　　　　　（重信）

作りおきのコツ
冷めたら保存容器やびんに移して冷蔵する。カリフラワーは生のまま漬けるが、食感が気になる場合はさっとゆでて漬けても。歯ごたえが悪くなるので、湯通し程度にする。

Part 3 野菜がたっぷりとれる 常備のピクルス・漬け物

レンジピクルス

材料（作りやすい分量）
にんじん、セロリ
　…各1本
玉ねぎ…小1個
A｜酢…⅓カップ
　｜砂糖…大さじ2
　｜塩…小さじ½
　｜ローリエ…1枚
　｜粒黒こしょう
　｜　…3～4粒
　｜赤とうがらし…1本
　｜水…⅔カップ

作り方
1 にんじんは1cm厚さの輪切りにし（あれば波形のナイフで）、セロリは筋を除いて1.5cm厚さの斜め切りにする。玉ねぎは縦4等分のくし形に切る。
2 耐熱ボウルにAを入れてまぜ、1を加える。ラップをかけ、電子レンジで3～4分加熱し、そのまま冷ます。あら熱がとれたら保存容器に移し、冷蔵庫に入れて冷えたら食べごろに。

（大庭）

Arrange
好みの野菜のピクルスをみじん切りにしてクリームチーズとまぜるだけで簡単オードブルに。パンやクラッカーにぬれば、おつまみにぴったり。

作りおきのコツ
レンジ加熱ですばやく味をしみ込ませるので、即席で食べられるのがうれしい。もちろん日もちも冷蔵庫で1週間はOK。

冷蔵で1週間

簡単オイキムチ

材料（2〜3人分）
きゅうり … 2本
大根 … 100g
にんじん … 1/4本
塩 … 小さじ1/4
A｜ りんごのすりおろし
　　　… 大さじ1
　　　にんにくのすりおろし、
　　　塩 … 各小さじ1/3
　　　しょうがのすりおろし、
　　　砂糖 … 各小さじ1/2
　　　あらびきとうがらし
　　　… 大さじ1 1/2
　　　ナンプラー、ごま油
　　　… 各小さじ1

作り方
1 きゅうりは大きめの乱切りにし、ファスナーつき保存袋に入れ、塩を加えて10分ほどおいてしんなりとさせる。袋の上から軽くもんで水けをしぼり、水分を捨てる。
2 大根、にんじんはスライサーなどでせん切りにし、Aを加えてまぜ合わせる。
3 1に2を加え、袋の上からもんで全体をあえる。なじんだらすぐ食べられるが、冷蔵庫で1時間以上おいて味をなじませると、さらにおいしい。
（重信）

作りおきのコツ
保存袋に入れて余分な空気を抜き、たれが全体に行き渡るようにして漬け込む。そのまま保存も可能。袋で漬けると少量のたれでも均等に味をつけられる。

冷蔵で 4日

Part 3 野菜がたっぷりとれる
常備の**ピクルス・漬け物**

水キムチ

材料(作りやすい分量・750mlの容器1個分)
キャベツ … 150g
りんご … 1/4個(50g)
しょうが、にんにく … 各10g
松の実 … 大さじ1
糸とうがらし* … 少々
A | あら塩 … 小さじ1 1/3
　　(8g・水の重さの2％)
　　酢、砂糖 … 各大さじ1
　　水 … 2カップ

＊糸とうがらしがなければ省いてもよい。

作り方
1 清潔な容器にAを入れてまぜ、砂糖と塩をよくとかす(容器はふたができなくてもよい)。
2 キャベツは3cm角に切り、しょうがはせん切りにする。りんご(好みで皮をむく)は縦半分に切ってしんを除き、薄切りにする。にんにくは薄切りにする。
3 1に2、松の実、糸とうがらしを入れてまぜ、表面にラップを密着させて冷蔵庫に入れ、2時間以上おく。

(石澤)

キャベツのほか、白菜、きゅうり、セロリ、大根などもおすすめ。

作りおきのコツ
漬け込むときや保存するときにラップをかぶせて表面に密着させると、汁を行き渡らせることができる。保存はファスナーつき保存袋やびんなどでもOK。

冷蔵で **2日**

冷蔵で
5日

Part 3 野菜がたっぷりとれる 常備のピクルス・漬け物

基本の浅漬け

材料（作りやすい分量）
好みの野菜（写真はキャベツ3枚分）
…200g
あら塩…小さじ½〜⅔
（野菜の重さの1.5〜2％）

作り方
1 キャベツはかたい軸の部分を除いて一口大に切り、半量をファスナーつき保存袋に入れ、あら塩の半量を加える（ファスナーつき保存袋は冷凍用の中サイズが最適）。
2 袋を上下に軽く振り、塩がなじんだら残りのキャベツとあら塩を加えて振り、5分ほどおく。キャベツがしんなりとしたら袋の底に寄せ、空気を抜きながら袋を巻き上げるようにしてファスナーを閉める。
3 汁がこぼれることがあるので袋の口を上にして皿にのせ、涼しい場所で15分おけば食べごろに。
（石澤）

小松菜の浅漬け

作りおきのコツ
食べる直前に袋の上から軽くもんで野菜から余分な水分を出し、食べる分だけ器に盛る。残った分は再びしっかり空気を抜いてファスナーを閉め、冷蔵する。

きゅうりの浅漬け

かぼちゃのみそ浅漬け

材料（作りやすい分量）
かぼちゃ* … 200g
みそ … 大さじ1
*ほかの好みの野菜200gでもOK。

作り方
1 かぼちゃは4〜5mm厚さの一口大に切り、ファスナーつき保存袋に入れ、電子レンジで1分10秒加熱する（保存袋は冷凍用の中サイズが最適）。
2 みそを水大さじ1でといて1に加え、袋を振ってなじませ、5分ほどおいてからざっくりまぜる。
3 袋の空気を抜きながらファスナーを閉め、口を上にして皿にのせ、15分ほどおく。　　　　　（石澤）

作りおきのコツ
保存袋で作れば少量のみそでOK。密閉状態を保ちながら漬けるのがポイント。冷蔵保存し、食べる直前に袋の上から軽くもんで、食べる分だけ器に盛る。

冷蔵で5日

Part 3 　野菜がたっぷりとれる　常備のピクルス・漬け物

大根の
ゆずはちみつ漬け

材料（作りやすい分量）
大根 … 400g
ゆず … 1個（100g）
はちみつ … 200g
（大根の重さの半分）

作り方
1 大根は2cm角に切り、ゆずは薄い輪切りにし、清潔な容器に入れてはちみつを注ぐ。
2 室温で1日おき、水分が上がって大根にかぶるようになったら冷蔵庫に入れる。2日たっても水が十分に出ない場合は、大根にかぶるくらいにはちみつを足し、冷蔵庫で保存する。（石澤）

Memo
かぜ予防に効く漬け汁
別名「大根あめ」。漬け汁を湯で薄めたり、そのままなめる。のどのうるおいを保つ効果があり、かぜ予防やひき始めの民間薬とされる。

作りおきのコツ
まず常温で大根の水けを出し、大根の水分で漬ける。水分が十分に出たら冷蔵庫へ。ファスナーつき保存袋やびんでも。

冷蔵で
2週間

きゅうりの1本漬け

材料（4人分）
きゅうり…4本
赤とうがらし…1本
A｜こぶ…5cm角1枚
　｜塩…大さじ1
　｜水…2カップ

作り方
1 きゅうりは両端を切り落とす。こぶはかたくしぼったぬれぶきんでさっとふく。
2 ファスナーつき保存袋に半分に切って種を除いた赤とうがらし、きゅうり、Aを入れ、袋の空気を抜きながらファスナーを閉める。バットなどに袋の口を上にしてのせ、冷蔵庫に入れて一晩おく。　　　　（小林）

切らずに出し、まるかじりも楽しみのひとつ。

作りおきのコツ
きゅうり全体がつかった状態で漬け込みと保存をしたいので、ファスナーつき保存袋で保存するのがベスト。

冷蔵で 3日

Part 3 野菜がたっぷりとれる
常備のピクルス・漬け物

たたききゅうりの酢じょうゆ漬け

材料（4人分）
きゅうり…4本
A｜酢…小さじ2
　｜しょうゆ…140mℓ
ごま油…適量

作り方
1 きゅうりはすりこ木などで軽くたたいてひびを入れ、4cm長さに切ってから縦4等分に切る。
2 ファスナーつき保存袋に1とAを入れ、空気を抜きながらファスナーを閉め、しんなりとするまで漬ける。
3 汁けをきってごま油をからめる。

（瀬尾）

作りおきのコツ
味が入りすぎると辛くなるので、漬け汁でほどよく味がついたら汁けをきり、ごま油をからめた状態で保存容器に入れて冷蔵するとよい。

冷蔵で **3**日

すぐ食べられて、作りおきしてもおいしい
速攻！アレンジ漬け4

材料も漬け時間も最少で
すぐに食べられる漬け物4品をご紹介します。
※材料はすべて作りやすい分量。料理製作／重信初江

冷蔵で
2〜3日

かぶの千枚漬け

材料
かぶ … 大1個
細切りこぶ … 少々
赤とうがらしの小口切り … 少々
A｜酢、砂糖 … 各大さじ1
　｜塩 … 小さじ⅓

作り方
1 かぶは薄い輪切りにする。
2 こぶ、赤とうがらし、A、水大さじ½を合わせて1を15分ほど漬け、軽くもんで水けをしぼる。

水菜のわさび漬け

材料
水菜 … 50g
塩 … 小さじ½
A｜ねりわさび … 小さじ⅓
　｜削り節 … 2g

作り方
1 水菜は5〜6cm長さに切り、バットなどに並べる。
2 水½カップに塩を加えて煮立て、1にかける。Aを加えてまぜ、ラップをかけて冷めるまでおき、なじませる。

冷蔵で
2〜3日

> Part 3　野菜がたっぷりとれる
> 常備のピクルス・漬け物

もやしのラー油ザーサイ漬け

冷蔵で2〜3日

材料
もやし…100g
ザーサイ(味つき)…10g
A ┃ しょうゆ…小さじ1
　┃ ラー油…少々

作り方
1 ザーサイはこまかく刻む。
2 耐熱容器にもやしとザーサイを入れ、Aを加えてあえる。ラップをかけて電子レンジで1分加熱し、そのまま冷ます。

チンゲンサイのめんつゆしょうが漬け

冷蔵で2〜3日

材料
チンゲンサイ…1株
にんじん…3cm
しょうが…1かけ
めんつゆ(ストレートタイプ)
　…大さじ3

作り方
1 チンゲンサイは葉はざく切りにし、軸は細切りにする。にんじん、しょうがはせん切りにする。
2 耐熱容器に入れ、めんつゆをかけてラップを落とし込むようにかけ、電子レンジで1分加熱し、そのまま冷ます。

Column 3
冷やしておいしい 飲むサラダ

冷製だから冷蔵庫に作りおきできて、忙しいときも大助かり。
栄養もうまみも凝縮した、1杯で野菜がチャージできるサラダ感覚のスープです。

赤だしの冷やし汁
香ばしい焼き野菜を、冷たい赤だしで

材料（2人分）
オクラ4本　ミニトマト4個　みょうが2個　八丁みそ大さじ1½　だし1.5カップ

作り方
1. みそは少量のだしでゆるめ、残りのだしと合わせてなべに入れ、ひと煮してあら熱がとれたら冷蔵庫で冷やす。
2. オクラ、ミニトマト、みょうがは焼き網（魚焼きグリルかオーブントースターでも）にのせ、少し焼き色がつく程度にあぶる。
3. オクラ、みょうがは縦半分に切り、ミニトマトとともに器に入れ、1を注ぐ。

（検見崎）

冷蔵で2日

ガスパチョ
トマト味の濃厚スープを氷とともにどうぞ

材料（2人分）
トマト3個　ピーマン½個　紫玉ねぎ（または玉ねぎ）⅛個　はちみつ、酢各小さじ1　塩小さじ¼　タバスコ少々

作り方
1. トマトはへたを除き、ピーマンはへたと種を除き、紫玉ねぎとともにざく切りにし、ミキサーに入れる。残りの材料を加え、なめらかになるまでかくはんする。
2. 器に注ぎ、氷を浮かべる。

（藤井）

冷蔵で2日

パプリカといんげんのヨーグルトスープ
さわやかな冷製スープにコロコロ野菜が美味

材料（2人分）
かぼちゃ30g　パプリカ（赤）⅛個　さやいんげん3本　プレーンヨーグルト¾カップ　塩、こしょう各少々　A（固形スープ〈チキン〉½個　ローリエ½枚　タイム少々　湯¾カップ）

作り方
1. かぼちゃ、パプリカは4～5mm角に切り、いんげんは4～5mm幅の小口切りにする。
2. なべにAを入れて熱し、固形スープをとかして1を加える。野菜に火が通ったら、火を止めてあら熱をとる。
3. ヨーグルトはまぜてなめらかにし、2に加えてよくまぜ、塩、こしょうで調味し、冷蔵庫で冷やす。

（検見崎）

冷蔵で2日

Part 4

ソース・
ドレッシング・
ディップ
作りおきで
いつでもサラダ

ドレッシングやディップのストックがあれば
あとはフレッシュ野菜を合わせるだけで
すぐにサラダが完成！
新鮮魚介のサラダや温野菜でのアレンジなど
楽しみ方もいろいろです。

冷蔵で
2~3日

バーニャカウダソース

材料（作りやすい分量）
牛乳 … 2/3カップ
にんにく … 1個
A アンチョビー（フィレ）
　 … 15g
　 塩 … 小さじ2/3
　 生クリーム … 1/2カップ
　 こしょう … 少々
　 オリーブ油 … 1カップ

作り方
1 にんにくは薄皮をむき、小なべに牛乳とともに入れ、煮立ってきたら弱火にする。にんにくの上下をときどき返しながらやわらかくなるまで煮て、余分な牛乳は捨てる。
2 にんにくをつぶし、Aを加えてつぶしながらまぜる。　（夏梅）

作りおきのコツ
保存中はオリーブ油の油分が表面をおおい、質を保持してくれる。食べるときにまぜて。あたためてホットソースにしてもおいしい。

Part 4 ソース・ドレッシング・ディップ
作りおきでいつでもサラダ

ソースを使って
バーニャカウダ
サラダ

パプリカ、セロリ、チコリ各適量を
それぞれ食べやすく切って器に盛り、
バーニャカウダソースを添える。こ
のほか、ブロッコリー、グリーンア
スパラガス、にんじん、きゅうりな
どを添えてもおいしい。

まぜるだけ！
自家製ドレッシング

定番サラダのドレッシングも常備の調味料でパパッと作れます。飽きて余らせることなく適量を作りおきでき、新鮮＆健康なサラダに。
※材料はすべて作りやすい分量。白ワインは子どもが食べる場合は除いて。

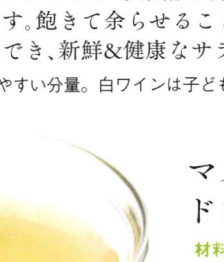

好きな野菜でいつでもサラダ

フレンチドレッシング

冷蔵で1週間

材料 白ワインビネガー（または酢）½カップ　サラダ油1カップ　塩小さじ1　あらびき白こしょう（またはこしょう）小さじ¼
作り方 ボウルにすべての材料を入れてよくまぜる。

マスタードドレッシング

材料 白ワインビネガー大さじ2　マスタード大さじ½　塩、こしょう各適量　サラダ油¼カップ
作り方 サラダ油以外の材料をまぜ合わせ、最後にサラダ油を糸をたらすように加えながらまぜる。

冷蔵で1週間

オニオンドレッシング

冷蔵で1週間

材料 玉ねぎのみじん切り大さじ4　塩、あらびき黒こしょう各少々　マスタード小さじ2　レモン汁、白ワイン各大さじ1　オリーブ油大さじ3
作り方 材料を順に入れてまぜ、最後にオリーブ油を糸をたらすように加えながらよくまぜる。

シーザードレッシング

冷蔵で2日

材料 フレンチドレッシング½カップ　玉ねぎのみじん切り大さじ1　にんにくのみじん切り1かけ分　アンチョビーのみじん切り3枚分　粉チーズ大さじ2　レモン汁、白ワイン各大さじ1　卵黄1個分　ケイパー4粒　ねりがらし小さじ½
作り方 すべての材料をなめらかになるまでよくまぜる。

中華ドレッシング

材料 A（いり白ごま大さじ½　酢、しょうゆ各大さじ2）　ごま油、サラダ油各¼カップ
作り方 Aをまぜ、ごま油とサラダ油を糸をたらすように加えながらまぜる。

冷蔵で1週間

作りおきのコツ

まぜるだけのドレッシングは、ジャムなどのびんや、ふたがきちんと閉まる保存びんがおすすめ。材料をすべて入れてシェイクするだけでよくまざり、そのまま保存もできる。

シェイク！

Part 4 ソース・ドレッシング・ディップ
作りおきでいつでもサラダ

まぜるだけ！
マヨネーズディップ

いつものマヨネーズにひと味加えれば
野菜がさらにおいしくたっぷりと食べられます。
いちばん簡単で人気のマヨディップを集めました。
※材料はすべて作りやすい分量。

野菜スティックを添えて

たらこ マヨディップ

材料 マヨネーズ大さじ4　たらこ小1腹　レモン汁大さじ½
作り方 たらこは薄皮を除いてほぐし、マヨネーズと合わせ、レモン汁を加えてさらによくまぜる。

冷蔵で 2日

ごまみそ マヨディップ

冷蔵で 3日

材料 マヨネーズ大さじ5　すり白ごま大さじ4　合わせみそ大さじ1　砂糖小さじ1
作り方 ボウルにすべての材料を入れてよくまぜる。

チーズ マヨディップ

材料 マヨネーズ大さじ1　クリームチーズ50g
作り方 クリームチーズは室温においてやわらかくねり、マヨネーズとまぜ合わせる。

冷蔵で 2日

塩こぶ マヨディップ

冷蔵で 3日

材料 マヨネーズ大さじ4　塩こぶのみじん切り20g
作り方 ボウルに塩こぶとマヨネーズを入れてあえる。

わさびじょうゆ マヨディップ

材料 マヨネーズ大さじ4　ねりわさび小さじ2　しょうゆ小さじ1
作り方 ボウルにすべての材料を入れてよくまぜる。

冷蔵で 3日

[かけるだけで新鮮魚介サラダ]

ハーブビネガー

材料（作りやすい分量）
タイム … 2枝（3g）
バジル … 1枝（4g）
酢 … ¾カップ
※ハーブはほかに、マジョラム、オレガノ、パセリ、チャイブ、セージなど好みのものでOK。

作り方
1 タイム、バジルはよく洗って水けをしっかりふく。タイムは3〜4cm長さに切り、バジルは長さを2〜3等分に切る（漬け込んだときに酢の表面からハーブ類が出るとカビの原因になるので短く切る）。
2 清潔な保存びんに1を入れ、酢を注いでハーブが表面から出ないようにする。漬け始めの1〜2日はハーブが浮いてきやすいので、浮いてきたら沈め、1週間ほど漬け込んだらでき上がり。　　　　　　　　（石澤）

常温で6カ月

作りおきのコツ
常温で保存できる。ハーブが酢の表面から出てしまうときは、冷蔵庫に入れること。この場合は冷蔵庫で2週間保存可能。または、酢から出たハーブはとり除くか、料理に使うとよい。

ビネガーを使って
マリネに

ドレッシングやマリネ液として酢と同じように使える。刺し身（写真はあじ）に塩を振り、ハーブビネガーをハーブごと回しかけてしばらくなじませる。玉ねぎの薄切りなどを添えても。

Part 4 ソース・ドレッシング・ディップ
作りおきでいつでもサラダ

カルパッチョソース

材料（作りやすい分量・2人分）
玉ねぎのみじん切り … 大さじ3
にんにくのみじん切り … 小さじ1
塩 … 小さじ½
こしょう … 少々
酢、オリーブ油 … 各大さじ3

作り方
1 玉ねぎは水に3分さらしてキッチンペーパーにとり、ギュッとにぎって水けをしぼる。
2 ボウルにすべての材料を入れ、全体がなじむまでまぜ合わせる。　　（石澤）

冷蔵で
1週間

作りおきのコツ
玉ねぎやにんにくなど刻んだ野菜が保存容器の底にたまるので、振ってまぜられるびんで保存するのがおすすめ。酢と油は分離するので、食べる前によくまぜて。

ソースを使って
カルパッチョに

カルパッチョとは、もともと生の牛薄切り肉にソースをかけたイタリアンの前菜。日本では、白身魚（写真はたい）やまぐろ、たこなどの刺し身を薄いそぎ切りにし、ソースをかけるのが主流。

[好きな野菜を
あえるだけ]

ごまあえのあえ衣

冷蔵で3日

材料（4人分）
いり黒ごま … 大さじ4
しょうゆ、だし … 各大さじ2
砂糖 … 小さじ2
※ごまは、いり白ごまでもOK。

作り方
1 乾いたなべにごまを入れて中火で軽くいり、香りが立ったらすり鉢に移し、好みのかげんになるまですりこ木でする。
2 残りの材料を加え、全体になじむまですりまぜる。

作りおきのコツ
あえ衣はよくすりまぜて作りおきにすると、ごまの風味が全体になじむ。あえ衣を作っておくと、ゆでた青菜や根菜、果菜をあえるだけで一品が完成。

あえ衣を使って
さやいんげんの
ごまあえ

材料（2人分）
さやいんげん200g　ごまあえのあえ衣2人分　塩少々

作り方
いんげんはへたと筋を除き、かために塩ゆでにする。冷水で冷まし、食べやすく切ってボウルに入れ、あえ衣であえる。

（以上、石澤）

Part 4 ソース・ドレッシング・ディップ
作りおきでいつでもサラダ

酢みそあえのあえ衣

材料（4人分）
白みそ（甘口）…大さじ10
酢…大さじ6
砂糖…大さじ4
ねりがらし…小さじ2/3

作り方
1 ボウルにすべての材料を入れ、砂糖がとけてなめらかになるまでよくねりまぜる。

冷蔵で1週間

作りおきのコツ
野菜、ゆでだこ、いか、生の貝類、わかめなどの海藻などにも合う便利なあえ衣。魚介をあえるときは、好みで酢を多めに入れても。よくねりまぜておくことが日もちのコツ。

あえ衣を使って
わけぎのぬた

材料（2人分）
わけぎ1束（200g） 酢みそあえのあえ衣2人分

作り方
1 わけぎは根元と先端を切り落とし、熱湯でゆでて少ししんなりとしたらすぐにとり出し、ざるに広げて冷ます。
2 まないたに並べ、包丁の背で中のぬめりをしごき出し、4cm長さに切る。ボウルに入れ、あえ衣であえる。（以上、石澤）

野菜がおいしい ディップ・ペースト

※材料はすべて作りやすい分量。

冷蔵で 2日

冷蔵で 3日

焼きパプリカの チーズディップ

材料
パプリカ(赤)…4個
A│クリームチーズ…100g
　│塩…小さじ½
　│こしょう…少々
※パプリカの色はお好みでOK。

作り方
1 パプリカはグリルに並べて強火で20〜25分焼き、焦がす。新聞紙などに包んで蒸らしながら冷まし、薄皮をむく。半分に切って種とへたを除き、キッチンペーパーで水けをふく。
2 あればフードプロセッサーに1とAを入れ、なめらかにすりつぶす。なければ包丁でごくこまかいみじん切りにし、Aとよくまぜる。

作りおきのコツ
時間をおくとパプリカから水分が出ることがあるので、冷蔵中はときどきまぜ、食べるときもまぜるとよい。

アボカドディップ ワカモレ風

材料
アボカド…2個
レモン汁…1個分
A│玉ねぎのすりおろし…⅛個分
　│にんにくのすりおろし
　│　…½かけ分
　│塩…小さじ⅓
　│こしょう…少々
B│オリーブ油…大さじ3〜4
　│タバスコ…小さじ1
香菜…2本
※タバスコの量は好みでかげんする。

作り方
アボカドは種と皮を除き、レモン汁、Aを加えてつぶし、Bを加えてなめらかにまぜる。香菜をみじん切りにして散らす。　　　（以上、夏梅）

作りおきのコツ
アボカドは時間とともに色が悪くなるので、レモン汁はたっぷりとすぐにかける。色が変わってもおいしく食べられる。

Part 4 ソース・ドレッシング・ディップ
作りおきでいつでもサラダ

おすすめの野菜

サラダ菜、レタス、各種ハーブ、きゅうり、ミニトマト、ミニキャロット、エシャロット、ラディッシュなどを、食べやすく切ったり、ゆでたりして盛る。トルティーヤチップスはワカモレにぴったり。バゲットやクラッカーにつけてもおいしい。

ねぎみそ

材料（作りやすい分量）
ねぎ … 1本（正味90g）
みそ … 90g

作り方
1. ねぎは根元と青い部分を除いて小口切りにし、ボウルに入れる。
2. みそを加え、よくまぜ合わせて清潔な保存容器に入れる。冷蔵庫に入れ、1日おいたらでき上がり。（石澤）

冷蔵で2週間

きゅうりやにんじん、大根などの野菜スティックに。また、焼きおにぎり、焼き油揚げや厚揚げ、焼き鳥にもぴったり。七味とうがらしを加えても。

作りおきのコツ
最初のうちはみそもねぎもかためだが、日がたつにつれてねぎから水分が出て、全体がやわらかくまろやかに。食べる前にひとまぜする。

冷蔵で3日

レバーペースト

材料（作りやすい分量）
鶏レバー … 150g
玉ねぎ … ¼個
にんにく … 1かけ
パセリ … 適量
バター … 40g
生クリーム … ¼カップ
ブランデー … 大さじ1
塩、こしょう … 各少々
粒黒こしょう … 10粒

作り方
1. レバーは脂肪を除き、冷水にひたして血抜きをし、水けをふいて塩、こしょうをふる。バター、生クリームは冷やしておく。
2. 玉ねぎは角切りにし、にんにくはたたいてつぶし、バター10gをとかしたフライパンでいためる。レバーを加えていため、焼き色がついて火が通ったら、ブランデーを加えて火を強め、アルコールをとばす。
3. フードプロセッサーに入れ、黒こしょうの半量、パセリを加えて数秒回し、残りのバターを加えてさらに数秒回す。生クリームを加えて数秒回し、なめらかにまぜて器に盛る。
4. 残りの黒こしょうをたたいてあらくつぶし、あればイタリアンパセリとともに飾る。（祐成）

作りおきのコツ
長めに保存したい場合は、冷凍すると1〜2週間は保存できる。多めに作ったら小分けにして冷凍保存がおすすめ。

レバーペーストは、バゲットはもちろん、野菜とも相性抜群。切ったりゆでたりしなくてもOKのつけ合わせ野菜があるとラク。
※ミニトマト、ラディッシュ、スプラウト、ルッコラなどがおすすめ。

Part 4 ソース・ドレッシング・ディップ
作りおきでいつでもサラダ

バジルペースト

材料（作りやすい分量）
バジルの葉 … 40枚(50g)
松の実 … 50g
にんにく … 1かけ
パルミジャーノ・レッジャーノチーズ … 60g
塩 … 小さじ½
オリーブ油 … ½カップ

作り方
1 バジルは洗って水けをきり、大きいものは2～3等分にちぎる。松の実はオーブントースターの弱火で5分ほど加熱するかフライパンでいる。
2 フードプロセッサーにオリーブ油以外の材料を入れて回し、全体がなじんだらオリーブ油を⅓量注いで再度回す。
3 残りのオリーブ油を2回に分けて同様に加えながら、なめらかなペースト状にする。

（石澤）

冷蔵で
6カ月

ペーストを使って
温野菜のバジルあえ

じゃがいもとさやいんげんなどをゆで、熱々のうちにバジルペースト（好みで塩、こしょうで調味しておく）であえる。肉や魚はもちろん、野菜とも好相性。

Point
オリーブ油を3回に分けて加えながら、なめらかなペーストに。温野菜やソテー、グリルなどに合わせると美味。パスタや肉料理にもぴったり。

作りおきのコツ
清潔な保存びんに入れ、表面にさらにオリーブ油を注いで空気を遮断することが、美しい色と風味を保つコツ。上手に保存すると長くもつ。

野菜・果物の甘い作りおき

野菜や果物の自然な甘みを
存分に引き出した
お楽しみの一品を常備して。
食事のちょっとしたお口直しや、
おべんとうにもそのまま使える、
一口サイズの保存がおすすめ。

（料理製作／牛尾理恵）

冷凍で
1〜2週間

キウイとチーズの
はちみつあえ

材料（6人分）
キウイ…2個
カッテージチーズ…大さじ3
はちみつ…大さじ1

作り方
1 キウイは1.5cm厚さのいちょう切りにし、ボウルに入れてカッテージチーズ、はちみつを加えてあえる。
2 シリコンカップに等分に入れ、保存容器に並べて冷凍する。

冷蔵で
10日

いり大豆の
みたらし風

材料（作りやすい分量）
いり大豆（市販品）…50g
A｜砂糖…大さじ3
　｜みりん…大さじ2
　｜しょうゆ…大さじ1

作り方
1 なべにAを入れてひと煮立ちさせ、大豆を加えてからめ、バットに広げる。
2 あら熱がとれたら保存容器に移し、冷めたら冷蔵する。

ミニトマトの シロップ漬け

材料（5人分）
ミニトマト … 20個
砂糖 … 大さじ6
ミントの葉 … 10枚

作り方
1 ミニトマトはへたをとり、ざるに入れて熱湯にくぐらせ、冷水にとって皮をむき、水けをきって保存容器に入れる。
2 なべに砂糖と水1カップを入れて煮立て、1に注ぎ、冷ます。
3 ミントを加えて冷蔵する。

冷蔵で 1週間

かぼちゃの 茶巾しぼり

材料（4人分）
かぼちゃ … 小1/5個（200g）
A｜砂糖 … 大さじ3
　｜バター … 20g
　｜シナモンパウダー … 少々

作り方
1 かぼちゃは皮をむかずに一口大に切り、耐熱皿に並べてラップをかけ、電子レンジで3分加熱する。熱いうちにボウルに移してなめらかにつぶし、Aを加えてよくまぜる。
2 8等分し、広げたラップにひとつずつのせ、ギュッとひねって包み、冷めるまでおいて落ち着かせる。
3 ラップをはずしてシリコンカップに入れ、保存容器に並べて冷凍する。

冷凍で 1〜2週間

大学いも

材料（6人分）
さつまいも … 1本（200g）
A｜砂糖 … 大さじ3
　｜みりん … 大さじ2
　｜塩 … 少々
揚げ油 … 適量

作り方
1 さつまいもは皮をむかずに1.5cm角で6〜7cm長さの拍子木切りにし、170度の揚げ油で揚げ、油をきる。
2 なべにAを入れてひと煮立ちさせ、1を加えてからめる。
3 シリコンカップに等分に入れて保存容器に並べ、冷めたら冷凍する。

冷凍で1〜2週間

干しあんずの紅茶漬け

材料（作りやすい分量）
干しあんず … 100g
紅茶のティーバッグ … 1個
シナモンスティック … 1本
※シナモンはパウダー少々にかえても。

作り方
1 保存容器にあんずとシナモンスティックを入れる。
2 熱湯1カップにティーバッグを入れて普通の濃さに抽出し、熱いうちに1に注ぐ。
3 冷めたら冷蔵する。

冷蔵で1週間

オレンジのマリネ

材料（6人分）
オレンジ … 2個
ローズマリー … 1枝
A │ 白ワイン … 小さじ2
　│ 砂糖 … 大さじ2

作り方
1 オレンジは1房ずつ薄皮をむいてボウルに入れる。
2 ローズマリーは葉をつみ、Aとともに1に加えてあえる。
3 シリコンカップに等分に入れ、保存容器に並べて冷凍する。

冷凍で 1〜2週間

シナモンバナナ

材料（6人分）
バナナ … 2本
レモン汁 … 大さじ1
砂糖 … 大さじ3
シナモンパウダー … 少々

作り方
1 バナナは1cm厚さの輪切りにし、レモン汁を振る。
2 小なべに砂糖、水大さじ1を入れて火にかけ、少し色づくまで3分ほど煮詰め、1、シナモンパウダーを加えてあえる。
3 シリコンカップに等分に入れて保存容器に並べ、冷めたら冷凍する。

冷凍で 1〜2週間

Column 4
愛用したい おすすめ保存容器

作ったサラダを保存したり、漬けておくのに大活躍。容器の特徴をよく理解して用途に合わせてお気に入りを使い分けて。

ガラス容器

中が見えるから漬けかげんや中身の変化がよくわかり、においがつきにくく便利。電子レンジOKのものも多く、深型、浅型のふたつき容器は、マリネなどに最適です。冷蔵庫に入れたときもひと目で中身がわかります。

ガラスびん

中身が見えてにおいがつきにくく、ソースやドレッシングなどの液体、ピクルスなど汁の多いものに適します。材料を入れてふたを閉めて振れば、ドレッシングやマリネ液ができ、そのまま保存できます。使うときはまた振って。ジャムなどのあきびんでもOK。

ほうろう容器

冷凍保存もでき、オーブン調理OK、直火にもかけられるすぐれもの。どんな料理にも合うシンプルなデザインなら、食卓にそのまま出してもおしゃれ。サイズ違いでそろえると便利です。ただし、傷には弱く、電子レンジはNGなので注意しましょう。

陶器の容器

中の温度変化が少なく、光を通しにくいのが特長。漬け物など常温で長期保存するようなものに向きます。重たいので持ち運びには向きませんが、手でさわったときのあたたかい味わいはたまりません。そのまま食卓に出して見劣りしないのも魅力です。

プラスチック&ポリ容器

ふたつきプラスチック容器
手ごろな値段で形もサイズも豊富、最も身近な保存容器。軽くて密閉性もよく、キッチンの必需品です。ただし、料理によってはにおいや色が移ることがあるので注意しましょう。電子レンジ対応かどうかは製品によるので確認を忘れずに。

コンテナ容器
形やサイズが豊富で値段も手ごろ、軽くて重ねて収納もできます。冷凍保存OK、ふたごと電子レンジOK、汁もれしない密閉タイプや目盛りつきタイプなど利便性が高いのも◎。

ファスナーつき保存袋
場所をとらず、冷蔵庫のすき間で保存可能。漬け汁が少量ですむので、漬け物や漬け込み料理におすすめです。長時間保存すると汁がしみ出ることがあるので、二重にするなど工夫して。

ステンレス容器
色やにおいが移らず、汚れやさびに強くてなにしろ丈夫。熱伝導がよいので、冷蔵庫に入れたら早くキンキンに冷やすことができます。一方、熱いものを入れたときはやけどに注意！ 冷ましてから冷蔵保存する場合はしばらくおきましょう。電子レンジはNG。

材料別さくいん

肉

豚肉
アボカドと豚しゃぶのサラダ 21
豚肉とねぎとチンゲンサイの
中華蒸ししゃぶサラダ 18

鶏肉
鶏もも肉のサラダ 8
バンバンジーサラダ 10
もやしと鶏ささ身の
ごま酢あえサラダ 33

ひき肉
合いびき肉とパプリカの
チャプチェ 15
チリコンカン 89
野菜たっぷりの肉みそサラダ 14

牛肉
牛ステーキと焼きなすの
焼き漬けサラダ 71
牛肉と玉ねぎのマリネ 16
焼き肉サラダ 12

肉加工品・その他
押し麦とハムのサラダ 17
ひじきとベーコンのいため煮 32
ポテトサラダ 39
マカロニサラダ 34

魚

魚介類
いかとれんこんのエスニックマリネ ... 85
いかとれんこんのオリーブマリネ ... 84
えびとブロッコリーのサラダ 27
えびとマッシュルームの
アヒージョ風オイル漬け 19
えびと野菜のグリルサラダ
バルサミコ風味 24
鮭のサルサソースマリネ 83
鮭の南蛮漬けサラダ 29
さばときのこのこんがり焼き
さっぱり漬けサラダ 22
たことじゃがいもの
モッツァレラサラダ 26
なすとほたての南蛮漬けサラダ ... 28
ほたてと大根のサラダ 30
ヤムウンセン 20

魚介加工品・海藻類
オイルサーディンのピリ辛サラダ ... 31
キャベツとサーモンの重ね漬け ... 80
きゅうりとくらげの中華酢の物 ... 81
切り干し大根とツナの
カレーいためサラダ 33
里いもの和風サラダ 41
シーフードの
ショートパスタサラダ 35
タラモサラダ 40
にぎわいきんぴら 55
にんじんのじゃこラー油あえ 32
ひじきとビーンズのサラダ
オニオンごまドレッシング 87
ひじきとベーコンのいため煮 32
ミニトマトとサーモンの
粒マスタードマリネ 82

野菜

花菜・果菜・根菜・いも
揚げなすの香味たれがらめ 50
アスパラ、ブロッコリー、
おいもの和風サラダ 47
アボカドと豚しゃぶのサラダ 21
いかとれんこんのエスニックマリネ ... 85
いかとれんこんのオリーブマリネ ... 84
梅甘酢れんこん 57
えびとブロッコリーのサラダ 27
えびとマッシュルームの
アヒージョ風オイル漬け 19
えびと野菜のグリルサラダ
バルサミコ風味 24
エリンギと2色ピーマンの
焼きびたし 73
オイルサーディンのピリ辛サラダ ... 31
押し麦とハムのサラダ 17
かぶとごぼうの
レモンソテーサラダ 44
かぶの千枚漬け 104
かぼちゃとクリームチーズの
デリサラダ 38
かぼちゃのみそ浅漬け 100
カリフラワーとオリーブの
マヨサラダ 49
カリフラワーのカレーピクルス ... 94
簡単オイキムチ 96
牛ステーキと焼きなすの
焼き漬けサラダ 71
きゅうりとくらげの中華酢の物 ... 81
きゅうりの1本漬け 102
クスクスサラダ 36
ごぼうのナムル 66
鮭のサルサソースマリネ 83
鮭の南蛮漬けサラダ 29
里いもの和風サラダ 41
シーフードの
ショートパスタサラダ 35
じゃがいものコチュジャンあえ ... 77
じゃがいものゆかりあえ 76
ズッキーニとパプリカの
ミントマリネ 74
大根とにんじんのなます 69
大根のナムル 66
大根のゆずはちみつ漬け 101
たことじゃがいもの
モッツァレラサラダ 26
たたききゅうりの酢じょうゆ漬け ... 103
たたきごぼう 54
タラモサラダ 40
ドライトマトとなすのマリネ 62
鶏もも肉のサラダ 8
なすとほたての南蛮漬けサラダ ... 28
なすのカポナータ 51
にぎわいきんぴら 55
にんじんのじゃこラー油あえ 32
にんじんのナッツきんぴら 46
にんじんのラペサラダ 61
バーニャカウダサラダ 109
パプリカのカレーマリネ 75
パリパリ和風ピクルス 93
ピーラーにんじんのサラダ 45
ブロッコリーの
フライパン蒸しサラダ 48
ほたてと大根のサラダ 30
ポテトサラダ 39
ミニトマトとサーモンの
粒マスタードマリネ 82
ミニトマトのハニーマリネ 63

焼き肉サラダ ……………… 12
野菜たっぷりの肉みそサラダ … 14
野菜の揚げびたし ………… 70
ラタトゥイユ ……………… 42
レモン風味ピクルス ……… 92
レンジピクルス …………… 95

葉菜・茎菜・豆類
揚げなすの香味たれがらめ …… 50
アスパラ、ブロッコリー、
おいもの和風サラダ ………… 47
えのきとキャベツの簡単キムチ風 79
キドニービーンズと玉ねぎの
マリネサラダ ……………… 88
基本の浅漬け ……………… 98
キャベツとサーモンの重ね漬け … 80
牛肉と玉ねぎのマリネ …… 16
クレソンのナムル ………… 66
コールスローサラダ ……… 60
さやいんげんのごまあえ …… 114
ザワークラウト …………… 68
チンゲンサイのオイル蒸し …… 53
チンゲンサイの
めんつゆしょうが漬け ……… 105
バーニャカウダサラダ …… 109
パリパリ和風ピクルス …… 93
バンバンジーサラダ ……… 10
ピーラーにんじんのサラダ … 45
豚肉とねぎとチンゲンサイの
中華蒸ししゃぶサラダ …… 18
ほうれんそうのごまよごし … 52
豆もやしのナムル ………… 66
水キムチ …………………… 97
水菜のわさび漬け ………… 104
もやしと鶏ささ身の
ごま酢あえサラダ ………… 33
もやしのラー油ザーサイ漬け … 105
焼きアスパラガスのおひたし … 72
野菜たっぷりの肉みそサラダ … 14
野菜の揚げびたし ………… 70
ヤムウンセン ……………… 20
ゆでねぎサラダの梅ソースがけ … 56
レモン風味ピクルス ……… 92
レンジピクルス …………… 95
わけぎのぬた ……………… 115

きのこ
イタリアンサラダ ………… 65
えのきとキャベツの簡単キムチ風 79
えびとマッシュルームの
アヒージョ風オイル漬け …… 19
エリンギと2色ピーマンの
焼きびたし ………………… 73
きのことザーサイの
中華風オイル漬け ………… 78
きのこのマリネ …………… 64
さばときのこのこんがり焼き
さっぱり漬けサラダ ……… 22
しめじのナムル …………… 66
焼き肉サラダ ……………… 12
ラタトゥイユ ……………… 42

パスタ
クスクスサラダ …………… 36
シーフードの
ショートパスタサラダ …… 35
マカロニサラダ …………… 34

卵・乳製品・とうふ・大豆加工品
えびとブロッコリーのサラダ … 27
かぼちゃとクリームチーズの
デリサラダ ………………… 38
たことじゃがいもの
モッツァレラサラダ ……… 26
ポテトサラダ ……………… 39
マカロニサラダ …………… 34

乾物・缶詰・その他
合いびき肉とパプリカの
チャプチェ ………………… 15
キドニービーンズと玉ねぎの
マリネサラダ ……………… 88
きのことザーサイの
中華風オイル漬け ………… 78
切りこぶと切り干し大根の
ポン酢サラダ ……………… 86
切り干し大根とツナの
カレーいためサラダ ……… 33
コールスローサラダ ……… 60
チリコンカン ……………… 89
ドライトマトとなすのマリネ … 62

ひじきとビーンズのサラダ
オニオンごまドレッシング …… 87
ヤムウンセン ……………… 20

ソース・ドレッシング・ディップ
アボカドディップ ワカモレ風 … 116
オニオンドレッシング …… 110
カルパッチョソース ……… 113
ごまあえのあえ衣 ………… 114
ごまみそマヨディップ …… 111
シーザードレッシング …… 110
塩こぶマヨディップ ……… 111
酢みそあえのあえ衣 ……… 115
たらこマヨディップ ……… 111
チーズマヨディップ ……… 111
中華ドレッシング ………… 110
ねぎみそ …………………… 118
バーニャカウダソース …… 108
ハーブビネガー …………… 112
バジルペースト …………… 119
フレンチドレッシング …… 110
マスタードドレッシング …… 110
焼きパプリカのチーズディップ … 116
レバーペースト …………… 118
わさびじょうゆマヨディップ … 111

甘味
いり大豆のみたらし風 …… 120
オレンジのマリネ ………… 123
かぼちゃの茶巾しぼり …… 121
キウイとチーズのはちみつあえ … 120
シナモンバナナ …………… 123
大学いも …………………… 122
干しあんずの紅茶漬け …… 122
ミニトマトのシロップ漬け … 121

汁物
赤だしの冷やし汁 ………… 106
ガスパチョ ………………… 106
パプリカといんげんの
ヨーグルトスープ ………… 106

料理指導（五十音順）

池上保子　石澤清美　市瀬悦子
今泉久美　岩崎啓子　上田淳子
植松良枝　牛尾理恵　枝元なほみ
大庭英子　川上文代　検見﨑聡美
コウケンテツ　小林まさみ　重信初江
清水紀子　祐成二葉　瀬尾幸子
夏梅美智子　浜内千波　藤井恵
武蔵裕子

STAFF
表紙・新規撮影分の料理
料理指導　　　夏梅美智子
撮影　　　　　白根正治
スタイリング　坂上嘉代
装丁　　　　　細山田光宣、成冨チトセ
　　　　　　　（細山田デザイン事務所）

撮影　　　　　主婦の友社写真課
　　　　　　　岡田卓也（p.58）
本文デザイン　成冨チトセ
　　　　　　　（細山田デザイン事務所）
取材・文　　　丹羽敦子
編集　　　　　中野桜子（主婦の友社）
編集デスク　　藤岡眞澄（主婦の友社）

冷めてもおいしい。
ねかせるからもっとおいしい。
作りおきサラダ

編　者　主婦の友社
発行者　荻野善之
発行所　株式会社主婦の友社
　　　　〒101-8911
　　　　東京都千代田区神田駿河台2-9
　　　　電話 03-5280-7537（編集）
　　　　　　 03-5280-7551（販売）
印刷所　大日本印刷株式会社

●乱丁本、落丁本はおとりかえします。お買い求めの書店か、主婦の友社資材刊行課（電話03-5280-7590）にご連絡ください。
●内容に関するお問い合わせは、主婦の友社（電話03-5280-7537）まで。
●主婦の友社が発行する書籍・ムックのご注文、雑誌の定期購読のお申し込みは、お近くの書店か主婦の友社コールセンター（電話0120-916-892）まで。
※お問い合わせ受付時間
月～金（祝日を除く）9：30～17：30
主婦の友ホームページ
http://www.shufunotomo.co.jp/

Ⓒ Shufunotomo Co., Ltd. 2013 Printed in Japan
ISBN978-4-07-290297-4
Ⓡ本書を無断で複写複製（電子化を含む）することは、著作権法上の例外を除き、禁じられています。本書をコピーされる場合は、事前に公益社団法人日本複製権センター（JRRC）の許諾を受けてください。
また本書を代行業者等の第三者に依頼してスキャンやデジタル化することは、たとえ個人や家庭内での利用であっても一切認められておりません。
JRRC〈http://www.jrrc.or.jp　eメール：jrrc_info@jrrc.or.jp　電話：03-3401-2382〉
この本は小社刊行の雑誌・ムック・書籍から抜粋したレシピに新規取材を加えて再編集したものです。
せ-053115